KB096394

오늘보다 내일이 더 빛나고 아름다울

________ 에게

무뎌질 줄 알았는데 무너지고 말았다 (개정판)

발 행 | 2020년 2월 21일
저 자 | 장예은 (이지수)
펴낸이 | 한건희
펴낸곳 | 주식회사 부크크
출판사등록 | 2014.07.15.(제2014-16호)
주 소 | 서울특별시 금천구 가산디지털1로 119 SK트윈타워 A동 305호
전 화 | 1670-8316
이메일 | info@bookk.co.kr

ISBN | 979-11-272-9804-3

www.bookk.co.kr

*이 책에 쓰인 글꼴은 세종대왕기념사업회에서 개발한 문화 바탕체입니다.

무뎌질 줄 알았는데
무너지고 말았다

장예은 지음

목차

1. 사람에 아파하고 무너졌던 너에게

2. 사랑에 아파하고 무너졌던 너에게

3. 이젠 더 이상 무뎌지지도, 무너지지도 않길 바라는 마음으로

사 람 에
아파하고

무너졌던
너에게

가까울수록 크게 데이는 법

사람과 사람 사이가 너무 가까워지면 서로 부딪힐 수 있듯이, 서로 어느 정도의 안전거리를 두는 것도 꽤나 중요하다. 연인관계일수록 더더욱 그렇고 인간관계에선 상대방의 영역과 내 영역을 정해두고 그 선을 침범하지 않는 것이 상대방을 배려하는 행동이니까. 만약 당신의 선을 함부로 침범하고 간섭하는 사람이 있다면 그런 사람은 당신을 위하지 않는 사람이니 가차없이 끊어내야 한다. 부디 서로 입장을 존중하고 어느정도 선을 지키며 함께 원윈할 수 있는 안정적인 관계를 꾸려나갔으면.

지나친 솔직함은 때론 독이 된다

인간관계에선 상대방의 말과 행동에서 진심이 느껴지지 않아서 상처받을 때도 많지만, 상대방의 솔직한 진심으로 인해 원하지 않은 상처를 받게 될 때도 참 많습니다. 가끔은 필터링을 거친 후 내뱉어야 할 말을 아무런 포장 없이 함부로 툭툭 내뱉는 사람들은 멀리 하세요. 무조건 솔직하면 다 좋은 건줄 아는 멍청하고 이기적인 사람들이니까.

그리고 나의 말과 행동으로 인해 누군가에게 상처주고 싶지 않다면 매순간 이 사실을 명심하고 살아가세요. 정도를 지나친 솔직함은 상대방의 가슴을 난도질하는 위험한 칼이 될 수도 있다는 것을. 또한 나와 그 사람의 관계를 병들게 하는 독이 될 수도 있다는 것을.

관계의 가치와 시간은 비례하지 않는다

"너 전에 그 사람, 되게 오래 만났잖아.
지금은 별로 안 그리워?"

"음, 그러게. 얼굴조차 선명히 기억나질 않네."
"뭐? 몇 년을 만났는데 얼굴조차 기억을 못해?"

사람 인연이라는 게 참 그렇다. 몇 년을 만났어도 헤어지면 얼굴조차 잘 기억나질 않는 사람이 있고, 단 몇 일을 만났어도 평생을 내 가슴 속에 머무르는 사람이 있다. 그래서 나는 함께 보낸 시간들의 크기나 기간보단 나와 그 사람이 함께 보낸 시간들이 얼마나 가치가 있는 만남이었는지를 따져보곤 한다.

원래 사람과 사람 사이의 관계라는 건 함께 한 시간들로 쉽게 단정지을 수 없는 법이니까. 단 한 순간이라도 그 사람을 위해 내 시간을 바칠 수 있을 만큼 가치가 있는 만남이었다면 나중에 가도 그때 일을 후회하지 않을 좋은 추억으로 남게 될 테니까.

서로 다름을 인정하는 것

인간관계에선 서로의 다름을 인정하고 맞춰나가는 과정도 중요하지만, 아무리 만나봐도 아니다 싶은 사람과는 애초에 거리를 두는 연습도 필요합니다. 서로 조금 다른 색을 띈 물감끼리 섞으면 아름다운 색깔이 새롭게 탄생할 수도 있지만, 서로 아예 맞지 않는 색깔끼리 섞이게 되면 오히려 이도저도 아닌 애매한 색이 되어버릴 수도 있기 때문입니다.

그와 마찬가지로 인간관계 또한 무조건 억지로 맞춰나가는 것이 정답이 아니에요. 둘이 아무리 노력해도 맞춰지는 부분이 하나도 없고 오히려 서로에게 상처만 주고받고 시간낭비만 될 뿐인 관계라면, 그저 우린 서로 다른 사람이고 맺어질 수 없는 인연임을 인정하고 거리를 두는 편이 두 사람 모두에게 도움이 되는 길일 수 있습니다.

항상 명심하세요. 나와 아예 맞지 않는 사람과 억지로 맞춰나가려 노력하는 것은 오히려 둘의 관계에 치명적인 독이 될 수 있다는 것을. '너는 너대로, 나는 나대로' 라는 마인드로 살아가는 것이 오히려 서로를 위한 선택일 수 있다는 것을.

언제나 한결같은 사람

물론 나 자신도 처음과 변함없이 한결같은 사람이 되어야 하지만 내 주변 사람들 또한 처음과 변함없이 한결같은 사람들만 곁에 두어야 합니다. 인간관계에선 언제나 내 편에 서서 도와주는 진짜 내 사람이 있고, 시기에 걸쳐 내 편을 가장한 적과 같은 사람 또한 있습니다.

진짜 내 편과 내 편을 가장한 적을 골라내는 방법은 하나입니다. 좋을 때나 힘들 때나 나를 대하는 태도가 달라지지 않는 사람인지를 봐야 합니다. 내 편을 가장한 적이라면 내가 형편이 힘들고 어려울 때 나를 무시하고 깔보는 듯한 태도를 갖출 것이고, 진짜 내 사람이라면 오히려 날 도와주기 위해 최선을 다한 노력을 보여줄 겁니다. 그런 사람만 곁에 두세요. 내 곁에서 언제나 한결같은 사람. 때론 지긋지긋할 정도로 너무 한결 같은 사람. 그런 사람이 정말 내 사람이고, 세상에 단 하나뿐인 내 편일 테니까요.

노력조차 하지 않는 사람은 끊어낼 것

내가 아무리 고치라고 말해도 변하지 않는 사람이라면, 애써 붙들고 고치려고 하지 말고 차라리 포기하고 다른 사람을 만나는 편이 내 미래와 정신건강에 조금 더 도움이 될 수 있습니다. 물론 상대방을 억지로 바꿔놓으려 하는 건 매우 잘못된 행동이지만, 만약 자신의 행동으로 인해 주변 사람들이 피해를 받는다면 상황에 따라서 바꾸려는 노력도 해야 하는 게 당연한 겁니다.

항상 기억하세요. 내가 아무리 고치라고 경고해도 노력하지 않는 사람과의 관계는 더 이상 가망이 없다는 것을. 그런 사람을 만날 바엔 좀 더 내 의견과 입장을 배려해줄 줄 사람을 만나 사랑받기에도 아까운 당신의 시간이라는 것을.

이미 돌이킬 수 없는 관계

부서진 관계는 마치 깨져버린 유릿조각과 같아요.

아무리 접착제나 테이프 같은 걸로 꼼꼼히 붙여도 결국 상처는 계속 남아있기 마련이고, 똑같은 이유로 또 부딪히고 깨지고 다시 헤어지기 마련이니까요. 항상 명심하세요. 이미 깨져버린 유릿조각은 잠시 동안은 붙일 수 있을지 몰라도 그 상태를 오랫동안 유지할 순 없다는 것을. 사람과 사람 사이의 관계 또한 지금 소중히 여기고 아껴주질 않으면 나중이 되었을 땐 이미 돌이킬 수 없게 되어버린다는 것을.

그땐 그게 최선이었을 테니

지나간 일과 선택에 너무 후회를 두지 마세요. 지금은 그때의 선택이 많이 후회스럽고 어리석어보일지 몰라도 그때의 나에겐 최선의 선택이자 그 길 밖에 없었을 테니까요. 그리고 후회라는 것을 했다는 것은 내가 그때보다 많이 성장했다는 확실한 증거이기도 하니까요. 이제 지나간 과거에 너무 얽매이지 말아요. 그러기에 시간은 너무 빠르게 흘러가고 어제보다 더 나은 오늘의 당신이 되어가는 중이니까요.

인연은 찾아나서야 한다

"인연이라면 언젠가 만나게 되겠지."

매 순간을 이런 안일한 마인드로 살아가기보단, 내가 직접 나 자신과 어울리는 인연을 직접 찾아나서도 보고, 좋은 사람을 발견한 것 같다면 앞 뒤 가리지 않고 먼저 다가가서 용기를 내서 내 마음을 전하는 것이 좋습니다. 물론 인연이라면 언젠가 맺어지게 되는 것은 맞지만, 그렇다고 마냥 신경쓰지 않고 있다면 한눈 판 사이에 좋은 인연을 놓쳐버릴 수도 있으니까요. 모든 일에는 타이밍이 중요하고, 기회는 다른 사람이 주는 것이 아닙니다. 마냥 기회가 오길 기다리기보단 나 스스로가 기회를 먼저 찾아나서고, 그렇게 조금씩 인연을 꾸려나가다 보면 나중엔 분명 과거의 자신에게 감사하게 될 날이 올 거예요. 이렇게나 좋은 사람들을 만나게 해줘서 정말 고맙다고.

마지막이 마지막인 줄도 모르고

우리는 도대체 얼마나 많은 마지막을 마지막인지도 모른 채 그냥 지나치고 있는 걸까요. 그때 집으로 바래다주던 날, 그 사람의 사랑한다는 그 말이 우리의 마지막이 될 줄도 모른 채로, 바쁘단 핑계로 받지 않았던 그날 부모님의 부재중 전화가 마지막으로 목소리를 들을 기회일 줄도 모른 채로, 가만히 생각하고 되돌아보고 있는 이 와중에도 우린 무언가와 계속 작별을 하고 있습니다. 그때 잘할 걸, 하고 후회할 겨를도 없이 계속 무언갈 떠나보내야 하는 우리의 삶은 어쩌면, 뒤늦은 후회와 아픈 이별의 순간들의 끝없는 연속일지도 모르겠습니다.

칭찬

우리는 나이를 먹으면서 점점 다른 이들에게 칭찬받을 일이 점점 줄어드는 것 같다. 어린 아이일 때 말을 잘 듣거나, 공부를 제 시간에 맞춰 딱딱 해내거나 그럴 땐 어머, 수고 많았네, 오늘도 참 잘했다며 주변의 칭찬과 사랑을 한 몸에 받곤 하였는데 이 모든 것들은 나이를 계속 먹게 되면서 내가 당연히 해야 할 일들로 바꾸게 되고 직장, 학업, 사랑 전부 내 힘으로 해내야 할 것들이 투성이니까.

칭찬은 돌고래도 춤추게 한다는 말이 있을 정도로 사람을 기쁘게 하고 힘을 불어넣어줄 때 큰 도움이 되는 하나의 보상인데, 우린 나이를 한살 두살 먹어갈 수록 '칭찬받아야 할 일'이 '내가 당연히 해야 할 일'로 바뀌어가는 게 되니까. 단순히 힘든 일이 있어서 지치는 게 아니라 힘든 일 후에도 보상이 따라오지 않아서 지치게 되는 것이니까.

그래서 어른이 된다는 것은 참 힘든가보다. 세상 사람들 전부가 알아주지 않아도, 모든 일은 내 힘으로 전부 해내야만 하고, 그럼에도 남들에게 좋은 소리 한 번을 못 듣고 매일매일을 치열하게만 살아가야 하니까. 아무도 알아주지 않는 이 사회에서 혼자 애써 버텨내며 힘겨워하는 어른들을 보면 참 가슴이 아파온다.

만약 모두가 알아주진 않더라도 단 한 사람의 사랑과 관심. “오늘은 좀 어땠어? 괜찮았어? 아님 힘들었어? 도대체 누가 널 힘들게 한 거야?” 이런 따듯하고 다정한 말 한 마디를 건네주는 사람 한 명만 곁에 있더라도 경쟁 속에서 치열한 이 삶을 버티는 게 조금은 덜 버거울 텐데.

사람이 가장 힘들고 지칠 때

내가 아무리 노력해도 결과가 따라주지 않을 때.

내가 아무리 진심을 표현해도
정작 상대방은 내 마음을 몰라줄 때.

힘들고 어려울 때, 내 마음을 알아주는 사람이
한 명도 없다는 사실을 깨달았을 때.

가장 믿었고 소중히 생각했던 사람에게
배신을 당하게 되었을 때.

함께 있을 때 내가 잘해주지 못한 사람을
그만 떠나보내야 하는 상황이 찾아올 때.

어쩌다 실수하게 되었을 때,
날 보듬어주는 사람이 한 명도 없을 때.

주변 사람들을 통해 내가
다른 사람과 비교당하게 되었을 때.

나 하나 없어져도
달라지지 않을 세상이란 생각이 들었을 때.

진심을 우습게 여기지 말 것

사람과 사람 사이의 관계에서 가장 중요하게 생각해야 할 것은, 상대방의 진심을 우습게 여기지 않겠다는 마음가짐을 갖는 거예요. 상대방의 이런 것 좀 하지 말란 말이나 내가 많이 사랑한다는 말은 사실, 당신에게 전하기 위해서 몇날 몇일 고민 끝에 용기내어 내뱉는 그 사람의 진심일 테니까요. 그 사람과 평생 애틋한 관계를 유지하고 싶다면 상대방의 소중한 진심을 우습게 여기거나 한 귀로 듣고 한귀로 흘려버리는 무례한 행동은 절대로 하지 말아요. 나에겐 아무것도 아니겠지만 자신의 진심을 짓밟히는 사람 입장에선 그만큼 비참하고 실망스러운 것도 없으니까요.

불리할 때만 대화를 피하는 습관

자신의 상황이 불리해질 때만 대화를 피하려고 하는 행동은 나 뿐만 아니라 상대방의 감정도 상하게 만들 수 있는 아주 잘못된 습관입니다. 자신이 잘못한 점이 있으면 인정하고 미안하다고 말해야지 거기서 잠깐의 쪽팔림을 걱정하며 자존심만 세우고 대화를 회피하게 되면 당신에 대한 상대방의 신뢰는 조금씩 무너지기 마련이니까요. 다음에 이야기하잔 식으로 언젠가 끝 맺어야 할 대화를 미루지 마세요. 당장은 자존심이 안 굽혀질지 모르지만 나중엔 그때 본인의 이기적인 선택을 후회하게 될 날도 분명 찾아올 테니까.

말하지 않아도 알아주는 사람

내가 먼저 말하지 않더라도 내 마음을 알아주는 그런 사람을 만나세요. 나 자신도 캐치하지 못한 내 감정을 눈치채주고 먼저 보듬어주는 그런 사람을 만나세요. 내가 먼저 말하지 않으면 내 마음을 전혀 몰라주는 사람은 멀리하도록 해요. 어차피 그런 사람은 내가 아무리 설명해도 내 입장을 이해하지 못하기 마련이니까. 내가 먼저 설명해야만 날 이해해줄 수 있는 사람 말고, 항상 날 먼저 이해해주려 노력하고 아껴줄 수 있는 사람과 애틋한 관계를 꾸려나가세요. 그런 사람은 절대 날 답답하게 만들거나 내 속이 곪아가도록 내버려두지 않을 테니까.

믿을 수 있는 건 나 자신 뿐

세상에 믿을 사람 하나 없다는 말이 나를 우울하고 외롭게 만들 때도 있지만, 때론 그 말을 통해 스스로 일어설 수 있는 힘을 얻을 때도 있습니다. 언제까지나 타인과의 관계에 의존하고 집착하며 나의 모든 것을 걸지 마세요. 몇 십년 지기 친구도 결국엔 나와 다른 남일 뿐이고, 아무리 사랑하는 연인이라도 결국 남일 뿐이니까요. 항상 명심하세요. 내가 정말 힘들고 어려워질 때 나를 지켜줘야 할 사람은 나 자신이라는 것을. 다른 누군가에게 의존하며 살아가기 보단 나 자신을 지켜낼 수 있는 강한 사람이 되도록 노력해야 한다는 것을.

좋은 사람만 만나길

누군가와 인연이 닿게 되었다는 것은 그 사람과 나의 일생이 서로 맞닿게 되었다는 것입니다. 그렇게 어마어마한 축복과도 같은 인연에 감사할 줄 모르고 매번 나를 함부로 대하며 자꾸 상처만 주는 사람이라면 만회할 기회조차 주지 말고 바로 걷어차버리세요. 굳이 그렇게 무례하고 어리석은 사람들까지 이해해주느라 당신의 소중한 시간들을 낭비할 필요는 없습니다. 부디 당신처럼 좋은 사람이 좋은 인연만을 만나 매순간 사랑받을 수 있는 행복한 삶을 살았으면.

모든 관계에서 행복을 찾을 순 없다

모든 관계에서 행복을 찾을 수는 없습니다. 때론 나와 맞지 않는 사람과의 관계 속에서 서로 부딪히며 힘들어할 수도 있는 거고, 나와 잘 맞는 사람과도 때론 감정을 다투며 싸우게 되는 날도 있는 법이니까요. 우리는 행복을 위해 살아가는 존재지만 그렇다고 사람과 사람 사이의 관계에서 매번 행복만 찾으려고 하거나 바라지는 말아요. 아무리 좋은 관계라도 때론 휘청거리고 흔들릴 때도 있는 법이고, 그 시기를 잘 견뎌내야만 진짜 행복한 시기를 맞이할 수 있을 테니까.

좋은 관계는 함께 노력해야 하는 것

결국 좋은 관계라는 건 나 혼자 노력하고 맞춘다고 해서 맺어지는 게 아니더라고요. 서로가 함께 이해하고 배려하고 존중하려고 노력해야 좋은 관계가 되는 거지 한 쪽은 아예 배려할 생각도 안하고 이기적으로 행동하는데 다른 한 쪽만 열심히 붙잡고 애를 쓴다고 해서 절대 관계가 나아지는 게 아니더라고요. 그래서 더 이상은 나 혼자 애쓰고 잘해주고 상처받지 않기로 다짐했어요. 나와 함께 맞춰나가려 노력해주는 사람과 좋은 관계를 꾸려나가기에도 부족하고 아까운 시간이란 것을 깨달았거든요.

무조건적인 내 편

내 상황이 좋을 때만 곁에 머물러주는 사람 말고, 힘들 때나 좋을 때나 내 편이 되어주는 사람을 만나세요. 세상 사람들 모두가 날 미워하는 일이 있어도 단 한 명만큼은 내 편을 들어주고 감싸주는 그런 사람. 내가 속상한 일이 생겼을 때 서로의 잘잘못을 계산적으로 따지는 사람 말고, 일단 내 편부터 들어주고 보는 그런 사람을 만나야 합니다. 적어도 그런 사람과 함께라면 힘들고 어려운 일들이 들이닥쳐도 쉽게 무너지지 않고 서로 의지해가며 잘 헤쳐나갈 수 있을 테니까요.

용기

화가 나고 기분이 나쁜 상황에서 내가 매번 이해하고 참아줘야 할 이유는 없습니다. 만약 상대방이 먼저 잘못을 했고 이건 조금 아니다 싶은 상황이 찾아왔을 땐, 과감하게 잘못을 지적하고 이런 부분은 좀 고치라고 말할 용기도 필요한 법입니다. 원래 그런 사람이라고 해서 억지로 이해하고 참아주려 애쓰지 말아요. 아닌 건 아니라고 말하고 틀린 건 틀리다고 말할 줄도 알아야 하는 법이니까. 굳이 이기적이고 무례한 사람들 곁에서 낭비되기엔 너무나 아까운 당신의 시간이니까.

내가 먼저 좋은 사람이 되는 것

나만 상대방에게 이해받고 사랑받길 바라지 말고, 내가 먼저 상대방을 이해하고 아껴줄 수 있는 사람이 되도록 노력하세요. 내게 좋은 사람이 먼저 찾아오길 마냥 기다리는 것보다 내가 먼저 좋은 사람이 되어 좋은 사람을 찾아나서는 게 조금 더 빠르고 현명한 방법이니까. 항상 명심하세요. 내게 좋은 사람이 찾아오기 위해선 내가 먼저 좋은 사람이 되어야 한다는 것을. 내가 먼저 상대방을 배려하고 사랑할 줄 알아야 상대방도 날 이해하고 안아줄 수 있다는 것을.

진정한 사과

만약 네가 기분 나빴다면 사과할게, 이런 식으로 말하는 사람들이 있다. 그럼 내 기분이 나쁘지 않았다면 사과할 마음도 없었을 뿐더러 무엇을 잘못한 건지도 모르겠지만 일단 네가 기분이 나빴으니 사과는 할게 라는 의미인 걸까. 부디 자신의 실수로 인해 상대방에게 사과의 말을 건넬 때는 듣는 사람 입장에서 먼저 생각한 다음에 내뱉는 편이 좋다. 나만 사과했다고 해서 끝나는 것이 아닌 사과를 받는 사람이 받아들여야만 비로소 문제가 끝이 나는 것이니까. 진심 어린 사과가 아닌 내 멋대로 하는 사과라면 오히려 서로 간의 오해와 불신을 쌓기 딱 좋은 방법이니까.

마음은 크기와 상관없이 소중하다

마음의 가치는 크기와 비례하지 않습니다. 아무리 작은 마음이라도 그것만의 의미와 가치가 담겨져 있는 법이고, 크고 작고를 떠나서 상대방의 마음을 우습게 여기는 건 정말 무례하며 사람을 대할 때 절대 하면 안되는 짓이니까. 부디 상대방이 건넨 마음의 크기가 아닌 그 안에 담긴 가치 그 자체를 봐줬으면. 작은 마음도 소중히 여기고 아껴줄 줄 아는 사람이 되었으면.

한 번이라도 날 실망시킨 사람이라면

나를 한 번이라도 실망시킨 사람이 있다면 더 이상 기회를 주지 마세요. 물론 기회를 줬을 때 자기 스스로 반성을 하고 다신 그러지 않으려고 노력하는 사람도 있지만, 기회를 줌으로써 이 사람은 내가 이래도 괜찮구나, 이런 생각으로 안심하며 변하려고 노력하지 않는 게으르고 이기적인 사람들 투성이인 세상이니까. 그런 사람들이 변할 수 있도록 기회를 주며 다 이해해주고 기다려주지 마세요. 그러기엔 더 좋은 사람을 만나 매순간 사랑받기에도 부족한 당신의 시간들이니까.

착한 사람인 척 연기했을 뿐

나를 대하는 상대방의 태도가 갑작스럽게 돌변할 때가 있습니다. 평소엔 그러지 않았던 사람이 갑자기 날 차갑게 대한다거나 무시하는 말투로 나를 우습게 여길 때 정말 당황스럽고 실망스럽기 마련이죠. 허나 그런 사람에게 너무 실망하고 마음 아파하지 말았으면 좋겠습니다. 그 사람은 갑자기 돌변한 게 아니니까. 그동안 당신의 호감을 사기 위해 착한 사람인 척 연기했을 뿐이지, 그 사람은 애초부터 그런 사람이었으니까요. 나를 존중하는 태도를 가지고 늘 한결 같은 모습을 유지하는 사람을 만나세요. 그런 사람은 날 처음과 다른 모습으로 실망시키거나 상처주지 않을 테니까요.

진정한 인연을 구분할 것

진정한 인연과 스쳐가는 인연을 잘 구분해서 인연을 맺어야 합니다. 진정한 인연이라면 최선을 다해 좋은 인연을 맺도록 노력하고, 어차피 스쳐갈 인연이라면 미련을 남기지 말고 무심코 지나쳐 버려야 합니다. 이 것을 구분하지 못하고 모든 사람들과 어설픈 인연을 맺어놓으면 내게 정말 필요한 인연을 찾지 못할 수도 있으니까요. 항상 명심하세요. 내 곁에 머물고 있는 사람들이라고 해서 쉽게 마음을 내어주고 전부 믿어서는 안된다는 것을. 언젠가 떠나가게 될 인연에 아쉬워할 시간에 끝까지 내 곁에 머무는 인연에게 잘해주고 최선을 다해야 한다는 것을.

날 믿어주는 사람이 있다는 것은

매번 가식적인 모습으로 다가오는 사람들도 많고, 믿었던 사람한테 배신당하기도 쉬운 이 차갑고 각박한 세상에서, 그럼에도 나를 믿어주는 사람이 있다는 건 정말 축복과도 같은 일입니다. 그러니 그런 사람과의 관계를 소홀히 여긴다거나 절대 실망시키지 말아요. 누군가가 나를 믿어준다는 것은, 그만큼 내가 그 사람에게 소중한 존재이자 신뢰가 높은 믿음직한 사람이란 뜻이니까. 부디 서로 간의 신뢰를 깨트리지 말고 애틋한 정을 나눌 수 있는 관계를 꾸려나갔으면.

한결같이 잔소리를 해주는 사람

언제나 내 곁에서 한결같이 잔소리를 해주는 사람에게 감사해하세요. 처음에는 마냥 지겹고 짜증만 폭발할지 몰라도, 막상 내가 정말 힘들어지고 곁에 아무도 없을 땐 가장 먼저 떠오르고 그리워지는 사람일 테니까요. 아, 이 사람이 나를 이만큼이나 생각하고 걱정해줬구나, 이 사람이 나를 이만큼 많이 사랑하고 있었구나. 사람은 원래 내가 관심도 없는 사람이라면 어떻게 되든 간에 신경도 안 쓰는데, 계속 곁에서 잔소리를 해준다는 것은 당신을 그만큼 아끼고 사랑하고 있기 때문인 거니까요.

하지만 나중에 깨닫게 되었을 땐 너무 늦어버린 후일 수도 있어요. 그러니 있을 때 잘해요. 나중에 놓치고 나서 가슴을 치며 후회하지 말고요. 그 사람, 당신의 인생에서 없으면 안될 만큼 소중하고 값진 인연이니까요.

미워하는 일에 감정을 쏟지 말 것

우리, 누군가를 미워하거나 원망하는 일에 너무 많은 것들을 쏟지 말기로 해요. 날 싫어하는 사람들을 좋아해줄 필요도 없지만 그렇다고 미워하고 원망하기로 하면 결국 내 아까운 감정과 시간만 낭비하는 꼴이 되니까요. 나를 바라봐주지 않는 사람에게 혼자 마음을 막 퍼주지 않고, 날 싫어하는 사람들은 그냥 무시하고 지나가는 게 결국 내 정신건강과 앞으로의 미래에도 현명한 선택입니다. 잘 생각해봐요, 너무 아깝잖아요. 고작 그런 몇몇 사람들 때문에 내가 혼자 마음고생을 하고 소중한 인생을 아무런 의미없이 흘려보낸다는 게.

살면서 가장 많이 후회하는 것들

너무 앞만 보고 달려가느라
주변의 많은 것을 보지 못한 채 살아온 건 아닐까.

바쁘다는 핑계로 소중한 사람들과의
연락을 소홀히 했던 건 아닐까.

그때 내가 그 말과 행동을 하지 않았었다면
그런 일은 일어나지 않았을까.

고작 사랑 하나에 너무 목숨 걸며
소중한 시간과 감정을 낭비한 건 아닐까.

너무 내 입장만 생각하며
차갑고 모질게 살아온 건 아닐까.

현실적인 문제들에 너무 쉽게
무너지고 포기해버린 건 아닐까.

왜 소중한 사람들이 곁에 있을 때 잘하지 못했을까.
왜, 다른 사람의 행복은 내 계산 속에 없었을까.

내 마음에게 전하는 기도

마음아 제발, 다른 누군가에게 너무 빨리 열어주지도 말고, 내 곁에 있어주는 사람이라고 너무 쉽게 믿고 기대려고 하지도 말고, 나 자신도 감당할 수 없을 만큼 너무 커져버리지 말고, 어차피 줄 거면 돌려받을 걸 기대하며 혼자 실망하고 상처받지 말고, 나를 못 마땅히 여기는 사람들의 갖은 비난에 너무 많이 무너지지도 말고, 힘들고 지칠 땐 나 자신을 먼저 생각하고 챙겨주려 노력하고, 마음아, 제발 그래다오.

나에게 먼저 좋은 사람이 될 것

원래 사람들은 보이는 대로 믿지 않고 자신이 믿고 싶은 대로 보려고 하는 경향이 있습니다. 그러니 어차피 날 믿어주지 않고 좋게 봐주지 않는 사람들에게 애써 좋은 이미지를 유지하며 착한 사람인 척 연기할 필요는 없습니다. 결국 내가 좋은 사람이 될려고 해도, 그 사람들은 날 못마땅하게 여기고 증오할 테니까. 타인의 시선과 기준에 맞춰진 좋은 사람이 되기 보단, 나 자신을 아끼고 지킬 수 있는 그런 사람이 되도록 노력하세요. 다른 누군가에게 휘둘리지 않고 나 자신을 먼저 아껴줄 줄 아는 것. 그게 진정으로 좋은 사람이니까요.

인간관계에서 신뢰를 얻는 방법

있는 그대로의 내 마음을
숨김 없이 전부 꺼내어 보여줄 것.

나 또는 상대방의 상황이 힘들고 어려웠다고 해서
나 몰라라 하거나 잡은 손을 쉽게 놓아버리지 말 것.

내가 상대방에게 받은 것들이 있다면 나 또한
당연히 베풀 줄 알아야 한다는 것을 명심할 것.

그 사람을 대하는 태도나 마음가짐을
절대 함부로 바꾸지 말 것.

애초부터 지키지 못할 약속이라면
입 밖으로 꺼내지 말 것.

사람과 사람 사이의 관계에서 신뢰가 무너지게 되면
모든 것이 무너진 것과 같다는 것을
매 순간 명심하며 살아갈 것.

별 것 아닌 일로도 날 부르는 사람

별 것 아닌 일로도 나를 불러주는 사람을 곁에 두고 감사해하세요. 별 것 아닌 일로도 나를 부른다는 것은, 별 것 아닌 사소한 일에서도 나를 생각하고 걱정하고 있다는 뜻이니까. 예를 들면 맛있는 음식을 먹게 되었을 때 가장 먼저 내게 연락하고 불러주는 사람, 좋은 영화나 장소를 발견했을 때 다음에 함께 오자며 연락해주는 그런 사람들 말이에요. 그런 별 것 아닌 일에서도 내 생각해주는 사람을 곁에 두세요. 그만큼 나를 소중하게 아껴줄 마음이 있는 사람이란 증거니까.

절대 익숙함에 속지 말 것

곁에 있을 땐 소중함을 모르고 나도 모르게 함부로 대할 때가 많죠. 딱히 그럴 마음은 없었는데 어쩌다 보니 상처주는 말을 내뱉었다거나, 거짓말 또는 약속을 어기는 등 신뢰를 깨트렸던 적도 있을 거예요. 허나 그 사람이 내게 정말 소중한 사람이라면 무조건 있을 때 잘해야 됩니다. 나중에 곁에 없을 때 후회해도 돌아오는 건 아무것도 없으니까요. 항상 이 사실을 잊지 말고 명심하세요. 소중한 관계를 지키기 위해 가장 필요한 것은 그 무엇도 아닌 익숙함에 속지 않는 것이라는 사실을.

항상 주고 나서 실망하는 이유

대부분의 사람들이 이미 다 줘놓고 나서 아쉬워하거나 실망하는 이유는, 순수한 마음으로 상대방에게 베푼다는 개념이 아닌 잠시 빌려준다는 생각으로 마음을 퍼주고 잘 해줬기 때문입니다. 물론 내가 준 만큼 돌려받고 싶어하는 것이 당연한 사람 마음이겠지만, 줄 거면 아예 그냥 줘버리고 돌려받을 기대 따윈 하지 않는 편이 그 사람과의 관계에 있어 실망하거나 마음 아파하지 않을 유일한 방법입니다. 누군가에게 잘해주고 싶다면 그저 정말 순수한 마음으로 잘해주세요. 그게 진정으로 누군가에게 베푸는 사람이 되는 길이니까요.

따듯히 안아줄 수 있는 사람

"그만 포기해. 그냥 인연이 아니었던 거라고 생각해."

이렇게 차갑고 냉정하게 말하는 사람보다, "참 애썼다, 많이 힘들었던 시간들만큼 분명 더 좋은 사람을 만날 수 있을 거야." 이렇게 따듯한 위로를 건네줄 수 있는 사람이 더욱 좋더라. 나도 알고 있다. 그 사람과 내가 인연이 아니었기 때문에 이렇게 서로 부딪히고 힘들어 할 수 밖에 없었다는 것을. 이미 나도 알고 있는 사실을 또 다시 들춰내서 내 가슴을 아프게 만드는 사람 말고, 인간관계에 지친 내 마음을 따듯히 감싸줄 수 있는 사람. 그런 사람을 곁에 두고 싶다.

인간관계는 마치 자석과 같다

사람과 사람 사이의 관계는 마치 자석과 같습니다.

아무리 튼튼하고 좋은 재질의 자석이라고 하더라도 자성이 강한 둘이 자주 부딪히고 멀어지는 과정을 반복하다 보면 언젠가 깨지기 마련이니까요. 이는 사람과의 관계도 마찬가지입니다. 아무리 애틋하고 끈끈한 정을 나눈 사이라도 서로 간의 작고 큰 다툼으로 인해 서운함과 오해가 하나둘씩 쌓이게 되면, 결국 언젠가는 그 소중했던 관계도 멀어지고 깨지기 마련이니까요. 그러니 누군가와의 관계를 지키고 싶다면 그 사람을 실망시키거나 상처줄 수 있는 말과 행동들은 처음부터 그냥 하지 마세요. 다신 없을 귀중한 인연을 놓치는 바보같은 짓은 절대 하지 말아요. 그 사람, 당신에게 정말 누구보다도 소중한 사람이잖아요.

왜 또 혼자 자책하고 그래

상처 준 건 그 사람이고 상처받은 건 당신인데 왜 또 혼자 자책하고 그래요. 애초부터 당신의 잘못이 아닌 사람 마음을 우습게 알고 가지고 논 쓰레기들의 잘못인 거잖아요. 그러니까 그런 사람들한테 그만 아쉬워하고, 그만 미안해해요. 매번 착한 모습만 보여주지 필요할 땐 차갑게 뒤돌아서고 관계에 미련을 남기지 말도록 해요. 분명 더 좋은 사람이 상처받은 당신의 마음을 안아주고 달래줄 테니까요. 사랑하는 사람아, 상처 받고 혼자 자책하고 아파하느라 수고 많았어요. 이젠 그 관계를 그만 내려놓아도 괜찮아요.

쉽게 마음을 털어놓지 말 것

내 상황이 아무리 어렵고 힘들어도 믿을 수 있는 사람이 아니라면 내 힘든 심정이나 상황을 구구절절 쉽게 털어놓지 마세요. 그렇게 아무나 믿고 털어놓은 얘기들은 소문을 타고 돌고 돌아서 나중엔 나도 모르는 사람들의 입에서 오르내리게 될 수도 있으니까. 매순간 내가 확신할 수 있는 믿음을 주는 그런 사람에게만 의지하며 살아가도록 하세요. 절대 진실 없는 사람한테 함부로 진실을 쏟아붓지 마세요. 결국 내 상황만 더 어렵고 복잡해지게 되고 나만 주변이들의 웃음거리가 될 뿐이니까요.

예쁘다는 것과 아름답다는 것의 차이

예쁘다는 말과 아름답다는 말 사이에는 큰 차이가 있습니다. 대부분의 사람들은 자신의 마음에 드는 얼굴을 한 사람을 마주하게 되었을 때, 아름답다는 말이 아닌 참 예쁘다는 표현을 더욱 많이 씁니다. 그 이유는, 아름다운지 아닌지는 그 사람의 내면을 봐야지만 알 수 있는 것이고, 예쁜지 아닌지는 단순히 그 사람의 외적인 면만 보고도 쉽게 판단할 수 있기 때문입니다. 항상 명심하세요. 예쁨은 상대방의 외적인 부분에서도 쉽게 찾을 수 있지만 아름다움이란 그 사람의 내면에서 드러나게 된다는 것을. 단순히 외적인 부분만 예쁜 사람이 되려 노력하기보단 내면을 잘 가꾸어 아름다운 사람이 되어야 한다는 것을.

매번 참고 넘어가면 안되는 이유

아무리 작고 사소한 일이라도 절대 그냥 넘어가거나 꾹 참으면 안되는 이유는, 사람과 사람 사이의 관계에 있어서 서운함과 오해는 눈에 보이지 않을 만큼 조금씩, 소리 없이 천천히 쌓여가는 것이기 때문이다.

그렇게 쌓인 크고 작은 서운함과 오해들은 상처로 변하게 되고, 결국 상처들이 쌓이고 쌓이다 보면 이별을 불러오기 마련이니까. 그러니 지금 곁에 있는 사랑하는 이를 잃고 싶지 않다면 항상 명심해야 한다.

이별은 내가 예상치도 못한 순간에 불쑥 찾아올 수 있다는 것을. 그렇기에 절대 작고 사소한 일이라도 가볍게 생각하거나 대충 넘어가며 서로 간의 서운함과 오해가 쌓이도록 내버려두면 안된다는 것을.

작고 사소한 상처들은 제때 치유하지 못하면 우리의 나쁜 감정들을 먹고 자라며, 언젠가 소중한 이와의 관계를 무너뜨리고 만다는 것을.

나와 인연이 아닌 사람들의 특징

내 마음을 자꾸 불안하게 만들거나
지치도록 내버려둔다.

애초에 지키지도 못할 약속을 해서
나를 실망시키는 일이 많다.

내 감정과 상황에 신경쓰지 않고
언제나 자기 맘대로 행동한다.

아무리 그 사람의 입장에서 이해하려고 해도
전혀 이해가 되질 않는다.

나와의 관계를 소중히 여기거나
아쉬움을 보이지 않는다.

필요할 때만 연락하고
시간이 있을 때만 만나자고 한다.

나의 내적인 면이 아닌 외적인 부분만 보고 접근한다.

있는 그대로의 나를 자꾸만
자기 맘대로 뜯어고치려 한다.

존재 자체만으로 위로가 되어주는 사람

노래나 글보다 사람이 위로가 될 때가 있습니다. 그저 존재 자체만으로 내게 큰 위로가 되어주고 삶의 의미가 되어주는 사람. 그런 사람이 힘들 때 내 곁에 머물러주면 그보다 더한 위로나 든든한 버팀목은 없습니다. 누군가에겐 사랑하는 부모님 또는 형제일 수도 있고, 누군가에겐 서로를 너무나 잘 아는 오랜지기 친구일 수도 있고, 또 누군가에겐 세상 누구보다 사랑하는 애인일 수도 있습니다. 그러니 당신 주변에 그런 사람이 있다면 곁에 있어줄 때 감사해하고 무조건 잘하세요. 내 인생은 그 사람들로 인해 의미가 있는 것이고 더욱 빛날 수 있는 것이니까요.

생각이 너무 뒤죽박죽일 때

생각이 너무 많아져서 머리가 복잡하고 가슴이 답답해질 때가 있습니다. 아무리 생각해도 이도저도 아닌 것 같고 불안한 마음과 조급함만 자꾸 늘어나서 미칠 것만 같은 그런 날이 있습니다. 그럴 땐 억지로 생각을 멈추려고 하거나 줄이려고 너무 애쓰지 말아야 해요. 생각은 정리하거나 줄이려 하면 할 수록 계속 늘어나고 복잡해지는 법이니까. 그럴 땐 잡 생각이 들지 않도록 최대한 바쁘게 살아보는 것도 좋은 방법일 수 있습니다. 가만히 앉아서 생각을 멈추려고 하기 보단 당장 일어나서 무엇이라도 하는 것이 미래의 나에게 부끄럽지 않은 선택일 테니까요.

인간관계에서 가장 비참해질 때

인간관계에서 가장 비참해질 때는 상대방에게 더 이상 실망할 것도 없다고 느껴질 때 입니다. 가장 믿었던 사람한테 처음 실망하게 되면 그 순간엔 너무 충격스럽고 미운 마음 뿐이지만, 시간이 지날 수록 점점 실망하는 것에 익숙해지게 되고 상대방을 그냥 포기하게 됩니다. 가장 믿고 아꼈던 사람이 자꾸만 날 실망시키고 내 가슴을 아프게 만들 때, 그리고 이미 실망하는 일에 익숙해져버린 내 자신을 바라볼 때만큼 비참하고 잔인한 일은 없습니다.

억지로 참고 억지로 잘해주지 마라

누군가가 나를 아껴주지 않고 함부로 대한다면 그런 사람은 멀리 하거나 내가 당했던 것처럼 똑같이 대해주세요. 나를 아껴주지 않는 사람을 내가 아껴줘야 할 의무는 없습니다. 또한 어차피 나만 같은 사람이 될 거란 생각에 참고 또 참을 의무 또한 없습니다. 참다가 병나면 그 사람의 잘못이 아닌 결국 모두 내 탓이 되기 때문입니다. 힘들면서 아무렇지 않은 척 연기하지 말고 화도 내고 복수도 하고 그러세요. 그게 진정으로 인간관계에서 호구가 되지 않는 현명한 방법입니다.

아닌 것 같은 관계는 당장 끊어낼 것

아닌 것 같은 관계는 미련이고 뭐고 할 것도 없이 바로 끊어내세요. 관계의 끝을 자꾸 나중으로 미룬다면 다른 사람과의 관계에서도 피해를 줄 수 있습니다. 차마 끝내지 못한 인연은 새로운 인연과의 시작에서도 영향을 미칠 수 있으니까요. 내가 생각할 때 이 사람은 좀 아닌 것 같다면 아닌 겁니다. 나와 인연이 아닌 사람은 가차없이 밀어내고 나와 함께할 마음이 충분한 사람과 인연을 맺어 나가세요. 인간관계는 맺고 끊음이 확실해야 꼬이는 일이나 복잡해지는 일이 없을 테니까요.

결국 인연이 아닌 사람은 없다

내 주변에 머물고 있는 사람들 중에 나와 인연이 아닌 사람은 그 누구도 없습니다. 애초에 이렇게 수 많은 사람들 속에서 길을 걷다 마주치는 것만으로도 굉장한 인연이라 얘기하는 판에, 나와 가까이 알고 지내는 사람이 있다면 그 사람이 싫든 좋든 간에 서로가 정해진 인연이기 때문에 가능한 일입니다. 단지 거기서 좋은 인연과 나쁜 인연이 서로 갈릴 뿐이죠. 그러니 좋은 인연은 좋은 인연대로 잘해주고, 나쁜 인연은 나쁜 인연대로 그냥 스쳐가게 내버려두세요. 그게 인간관계에서 나만 손해보거나 상처받지 않을 유일하며 유익한 방법입니다.

말을 잘하기보단 예쁘게 하는 사람

무조건 말을 잘하는 사람보단 말을 예쁘게 해주는 사람을 만나세요. 원래 말이란 것은 그 사람의 마음에서 우러나오는 것이니까요. 단순히 사람들 앞에서 말을 잘한다고 해서 그 사람의 마음씨 또한 착하고 고울 거란 보장은 아무도 할 수 없습니다. 백 마디의 말을 번지르르 잘하는 사람 말고 단 한 마디의 말이라도 따듯하고 예쁘게 건네줄 수 있는 사람과 연애하세요. 적어도 그런 사람과 만난다면 서로 대화를 하는 도중에 상처주는 말로 내 자존감을 깎아내리진 않을 테니까.

인생이란 게 참 그래

인생이라는 건 참 그렇더라. 변하지 말아야 할 것들은 언젠가 변하게 되고 제발 좀 변했으면 하는 것들은 언제나 늘 한결같기 마련이더라. 사람과 사람 사이의 관계 또한 마찬가지더라. 변하지 말았으면 하는 소중한 관계들은 시간이 흘러가며 전부 떠나가게 되고 제발 변했으면 하는 사람들은 언제나 그 자리를 굳건히 지키기 마련이더라. 아무리 애를 써도 거꾸로 흘러가기만 하는 인생이라면 왜 굳이 내가 노력을 해야 되는지, 자꾸 무기력해지고 모든 것이 부질없게만 느껴지는 요즘이다.

사람들이 많이 지치는 가장 큰 이유

사람들이 많이 지치게 되는 가장 큰 이유는 힘든 일을 억지로 견뎌내야 되서가 아니라 억지로 열심히 견뎌낸 후에 아무런 보상도 따라오지 않기 때문입니다. 힘들지 않은 일도 억지로 하게 되면 힘이 들기 마련이고, 힘든데다 억지로 하는 일이라면 당연히 성취감이 느껴질 리도 없고, 그렇다고 오늘을 열심히 견뎌낸다고 해서 내일은 좋은 순간들만 있는 것도 아니기 때문에, 매일매일이 억지로 하는 힘든 일들 투성이기 때문에, 그래서 사람은 더욱 더 지치고 점점 무기력하게 변하는 것입니다.

당신은 감정 샌드백이 아니다

만약 나에게 갖은 일로 짜증을 부리고 분풀이를 하는 사람이 있다면 그런 사람과의 관계는 되도록 멀리하고 다시 가까워지려 하지 마세요. 당신은 그 사람의 무례함을 다 참아줄 수 있는 감정 샌드백이 아니니까. 당신이 얼마나 소중하고 아까운 사람인데 그런 사람의 분풀이를 하나같이 전부 들어주며 고생하고 살아야 하나요. 이제 그런 사람 말고 날 진정으로 행복하게 해줄 수 있는 사람만 만나세요. 매순간 사랑받고 존중받아 마땅하고 소중한 당신이니까요.

상대방이 싫어하는 걸 하지 마라

내 곁에 소중한 사람이 좋아하는 걸 기억해주는 것도 좋지만 그 사람이 싫어하는 걸 하지 않는 것이 더욱 중요합니다. 아무리 사랑하는 사람이라도 내가 싫어하는 짓을 자꾸 하면 정이 떨어지기 마련이고, 그런 일들이 반복되다 보면 결국 서로 간의 소중했던 관계가 깨지고 무너질 수도 있으니까요. 항상 기억하세요. 상대방이 좋아하는 것을 기억하는 것은 잠깐 동안의 행복을 만들어주지만, 상대방이 싫어하는 것을 기억해주고 하지 않으려 노력하는 것은 오랫동안의 애틋함을 키워줄 수 있다는 것을.

소중하지 않은 인연은 없다

세상 어디에도 소중하지 않은 인연은 없습니다. 아무리 작고 사소한 우연으로 맺어진 관계라 할 지라도 그만큼 운명이 따라주지 않았다면 마주치지도 못했을 사람들입니다. 매순간 누군가와의 우연스럽고 새로운 만남에 항상 감사해하며 소중히 여기려고 노력하세요. 지금은 작고 보잘 것 없어 보이는 관계일지 모르겠지만, 그런 관계들이 나중에 내가 진짜 힘이 들고 어려울 때 든든한 버팀목이 되어주는 순간들도 있을 테니까요.

인연이 다했기 때문이에요

한때 정말 많이 소중했고 힘들 땐 서로에게 의지할 수 있었던 좋은 인연이 지금은 나를 자꾸 힘들게 만들고 지치게만 하고 있다면, 우린 딱 여기까지인 인연인가보다 하고 미련을 가지지 말고 쿨하게 놓아줄 줄도 알아야 합니다. 우린 분명 한때 좋은 인연이었지만 우리의 연은 여기서 끝인 거라는 것을 인정하고, 소중했던 사람을, 사랑을 놓아줄 줄 아는 것. 인간관계에 상처받기 않기 위해선 그런 연습이 필요해요. 한때 소중했던 것들을 쿨하게 놓아줄 줄 아는 연습 말이에요.

때론 차가운 사람이 되어야 하는 이유

물론 사람과 사람 사이의 관계에선 서로 따듯한 정을 주고 받고 배려하는 태도 또한 굉장히 중요하지만 때론 조금은 냉정한 마음으로 인간관계를 대해야 할 때도 있습니다. 매번 따듯하고 착한 모습만 보여주게 보면 그걸 이용하고 뒤통수치고 도망가는 사람들 또한 무수히 많은 세상이니까. 그러니 때론 차갑고 냉정한 마음가짐을 가지고 살아가는 연습과, 진짜 내 편과 내 편을 가장한 적을 분별하는 연습도 해야 합니다. 그래야 그 누구한테라도 우습게 여겨지거나 쉽게 상처받지 않을 수 있을 테니까요.

아무리 가까워도 선은 지켜야 하는 법

누군가와 친하다는 기준이 욕이 되거나 상처주는 행동이 될 순 없습니다. 아무리 가깝고 편한 사이라도 최소한의 지켜야 할 선은 넘지 말아야 하는 법이고, 서로 이해하고 존중하고 배려해줄 수 있는 태도를 갖추는 게 중요합니다. 요즘 인간관계가 자꾸만 틀어지고 있다면 자신을 되돌아보세요. 상대방과 가깝고 편하다는 명목 하에 나도 모르게 그 사람을 함부로 대하진 않았는지. 그동안 편하게 대하는 것과 함부로 대하는 것을 착각하며 살아온 건 아닌지.

존재 자체만으로 빛나는 사람

존재 자체만으로 빛나는 사람을 만나세요. 존재 자체만으로 나를 편하고 즐겁게 만들어주는 사람. 존재 자체만으로 힘이 들 때 든든한 버팀목이 되어주는 사람. 존재 자체만으로 내 삶에 큰 의미를 불어넣어줄 수 있는 사람. 그렇게 굳이 애쓰지 않더라도 오로지 존재 자체만으로도 날 기쁘게 해줄 수 있고, 편히 기댈 수 있는 그런 사람을 만나세요. 그런 사람이야말로 정말 내 인생을 더 가치 있고 의미 있게 꾸며줄 수 있는 사람일 테니까요.

살면서 너무 서럽고 속상할 때

내가 사랑하는 사람한테
사랑받지 못하고 있다는 걸 깨달았을 때.

아무리 지난 날을 후회해도
때는 이미 늦었다는 걸 깨달았을 때.

무조건 내 편을 들어줄 수 있는
진짜 내 사람이 주변에 아무도 없을 때.

함께 피를 나눈 가족조차 의심하고
믿을 수 없다고 느껴질 때.

안 그래도 힘들고 불안해 죽겠는데
힘내라는 말이나 불안해하지 말란 말을 들었을 때.

지금 걷고 있는 이 길이 내 길이 아니란 걸 알면서도
그 길을 걸을 수 밖에 없을 때.

인간관계를 조심히 다뤄야 하는 이유

인간관계는 마치 어린 아이를 대하듯이 매우 조심히 다루어야 한다는 것을 모르는 사람들이 있습니다.

아무리 오랫동안 가깝게 알고 지내고 함께 정을 나눈 사이라도 단 한순간의 실수로 인해 남보다도 못한 사이처럼 멀어질 수 있는 것이고, 그동안 쌓아온 서로에 대한 신뢰와 튼튼한 우정들도 단 한 순간의 실수로 인해 무용지물이 될 수 있는 법이니까. 이건 서로를 무척 사랑하는 연인도, 나와 피를 나눈 가족 또한 예외가 되질 않습니다.

그러니 항상 내 곁에 있어줬던 편한 사람이라고 해서 마냥 편하게 대하지만은 말고, 그 사람의 존재 자체를 소중히 여기고, 최대한 상처주지 않으려 조심하고 또 조심하며, 지금보다 더 잘해줄 수 있도록 노력하세요.

단 한 순간으로 인해 지금껏 함께 해온 시간들이 바람에 휩쓸린 모래성처럼 무너져내리는 것을 보고 싶지 않다면 말이에요.

진정 좋은 인연이란

좋은 인연이란, 서로가 힘들 땐 함께 도와주고 의지하며 걸어갈 수 있는 인연을 말하는 것입니다. 내가 필요할 때만 찾아오고 자꾸 날 힘들고 지치게 만드는 사람은 애초부터 나와 좋은 인연이 되지 못할 사람이었던 겁니다. 어차피 붙잡고 있어봤자 내게 손해만 되는 관계라면 굳이 미련을 가질 필요가 없습니다. 나와 좋은 인연이 될 가능성이 없는 사람은 차라리 인연이 아니었다고 생각하고 그냥 보내주도록 하세요. 이 세상에 좋은 인연은 널렸고 더 좋은 사람을 만날 수 있는 기회가 충분한 당신의 인생이니까.

세상에 당연한 것은 아무것도 없다

오랜 시간 나와 함께해온 사람들을 바라볼 때면, '앗, 이 사람과 이렇게 오랫동안 알고 지냈나?' 이런 생각에 놀람과 동시에 '이 사람은 지금까지도 내 곁에 한결같이 머물러줬구나.' 하는 생각에 더 고맙게 느껴지고 더 소중하게 느껴지곤 합니다. 사람 마음이란 게 그렇습니다. 오랜 시간 곁에 있어주면 그걸 당연히 여기게 되고, 받는 것에 익숙해지다 보면 받는 것을 당연한 걸로 느끼게 됩니다. 허나 우리는 항상 기억해야 합니다. 이 세상에는 당연한 마음도, 배려도, 관계도 없다는 것을. 공짜가 없는 이 세상에서 내게 무언가를 바라지 않고 선뜻 내어주고 베풀어주는 사람이 있다는 것은 정말 어마어마한 축복이라는 것을.

사랑에 아파하고

무너졌던
너 에 게

알고 싶지 않은 진심

누군가를 너무 많이 짝사랑하다 보면, 어느 순간부턴 그 사람의 진심을 알고 싶어지지 않는 순간들도 찾아오는 법이더라고요. 나는 이 사람이 너무 좋은데 이 사람은 나와 다른 마음이진 않을까. 혹시라도 알게 된 이 사람의 진심에 내가 상처받고 무너지진 않을까, 하는 불안감이 몰려오기 때문인 것 같아요. 한 사람을 너무 깊게 사랑하다 보면, 더 이상 다가갈 용기가 나지 않을 때가 있어요. 내가 더 다가감으로 인해 그 사람이 부담감을 느끼고 날 떠나가진 않을까, 이런 걱정들 때문에 말이에요.

사랑도 결국 상대적인 것

결국 사랑이란 것도 상대적인 거더라. 무조건 받는 사람이 느끼기 마련인 거더라. 내가 아무리 최선을 다해 사랑했다 해도 정작 그 사람에겐 턱없이 부족하게만 느껴질 수 있고, 나는 조금만 챙겨주고 신경써줬을 뿐인데 그런 사소한 것에도 큰 감동을 받는 사람들이 있더라. 그러니까 서로 마음의 크기가 약간 다르다고 해서 너무 서운해하진 말았으면 좋겠다. 나는 나대로 최선을 다해 사랑하는 거고, 너는 너대로 최선을 다해 사랑하는 거니까. 그렇게 각자의 최선을 다해 서로를 사랑하는 중이니까, 괜히 상대방과 나 사이의 마음의 크기를 일일히 계산해가며 불행한 연애를 스스로 자초하지 말았으면.

나의 문제일 수도 있다

만남이 있다면 당연히 헤어짐도 있는 법이고
헤어짐 뒤엔 또 새로운 만남도 있습니다.

허나 아무리 새로운 사람을 만나도 매번 똑같은 이별이 자꾸만 반복된다면 그 이유는 무조건 상대방의 잘못이 아닌 나에게 있는 걸 수도 있습니다. 헤어진 바로 직후엔 다들 그래요. 상대방이 내게 잘못했던 일들만 생각나고, 더 미워지고, 정작 자신의 행동들은 전혀 되돌아보지 않는 사람들도 참 많습니다. 허나 매번 새로운 사람들과 마음을 나누는데 항상 똑같은 이유로 헤어진다면 그건 어쩌면 상대방이 아닌 나의 문제일 수도 있습니다.

그러니 이런 경우엔 나 스스로의 행동을
한번 되돌아보세요.

나의 잘못을 가리려고 상대방의 잘못을 들춰내며
그 사람의 마음을 아프게 들쑤셨던 적은 없었는지.

매번 상대방의 입장을 배려한다곤 하지만 사실
내 시선으로만 관계를 바라보고 있었던 건 아니었는지.

너 때문에 나는

"나보다 널 더 많이 사랑해주는 사람 만나
네가 부디 행복했으면 좋겠다."

너는 참 쉬운가보다. 마음을 주는 것도, 마음을 주는 일을 포기하는 것도. 나는 사소한 감정 하나마저 전부 헷갈려서 여전히 방황하는 중인데 어쩜 너는 그렇게 쉽게 관계의 끝을 말하고 아무렇지 않게 내가 행복하길 바란다는 말을 하는 걸까. 너보다 날 더 사랑해주는 사람을 만나라니. 네가 내 세상 전부였고 너만큼 날 사랑해주는 사람은 지금껏 없었는데 그런 사람을 어떻게 만나. 꼭 마지막까지 착한 척을 해야 속이 후련하니. 차라리 좀 모질게 말해주지, 정이라도 확 전부 떨어지게. 마지막까지 다정함을 잃지 않으려는 네 모습에, 나는 앞으로 평생 사랑이란 걸 하지 못할지도 모르겠다. 너 때문에.

후회와 미련을 두지 말 것

지나간 사랑에 너무 후회와 미련을 두지 말아요. 아무리 울고불고 후회해도 이미 죽은 사람이 다시 되살아나는 것이 아닌 것처럼, 아무리 지난 날을 후회하며 돌아와달라 소리쳐도 이미 떠난 사랑이 다시 되돌아올 수 있는 것도 아니니까. 원래 인연이란 건 버스 정류장과 같아서, 우리는 그냥 잠시 스쳐갔던 인연이라고 생각하고 그만 내 가슴 속에서 그 사람을 보내주도록 해요. 지금은 많이 괴롭고 힘들지도 모르겠지만, 분명 지난 날의 상처를 잊게 해줄 더 좋은 사랑이 각자에게 찾아올 테니. 늘 그래왔듯이.

내게 상처주는 것을 허락하지 마세요

"그런 사람 왜 만나?
그 사람 너한테 자꾸 상처만 주잖아."
"아냐, 그래도 잘해줄 땐 잘해줘."

가끔 상처줄 때도 있지만 그래도 잘해줄 땐 잘해주는 사람이라며 자신에게 상처주고 아프게 만드는 사람을 계속 만나는 사람들이 있습니다. 괜한 고집과 내 마음이 아직 붙어있단 핑계로 그런 사람을 계속 만나지 마셨으면 좋겠습니다. 나에게 지속적으로 상처를 준다는 것 자체가 이미 내 입장과 감정은 신경조차 안 쓰고 있다는 증거니까. 아직 내가 사랑하고 좋아하는 사람이라고 해서 내게 상처주는 것을 허락해주지 마세요. 당신이 얼마나 존중받고 사랑받아야 마땅한 존재인데. 부디 그런 쓰레기들한테 계속 상처받고 아파하진 말았으면.

거짓이 아닌 진심만을 주고받을 것

상대방에게 자신의 진심을 전하고 싶다면, 있는 그대로의 내 마음을 온전히 꺼내어 보여주세요. 애써 호감을 얻기 위해 거짓으로 꾸며낸 부자연스러운 모습과 진실되지 못한 마음으로 다가간다면 진심이 전달되긴 커녕 상대방에게 부담만 될 테니까요. 그러니 사랑하는 누군가에게 내 마음을 전하고 싶을 땐 항상 기억하세요. 일부러 억지로 꾸며내지 않은 마음, 그 솔직함과 정직함이야말로 상대방의 마음에 와닿을 수 있는 진심이라는 것을. 사람과 사람 사이의 관계를 애틋하고 끈끈하게 만드는 데에 있어서 가장 중요한 것들 중 하나는, 서로 거짓된 마음이 아닌 솔직한 진심만을 주고받는 것이라는 사실을.

사랑하는 사람을 지치게 하지 마라

사랑하는 사람의 마음을 지치게 만들지 마세요. 날 사랑한다면 이 정도는 이해해줄 수 있겠지, 이 정도는 용서해줄 수 있겠지란 안일한 생각으로 상대방을 대하다 보면 그 사람도 점점 지쳐가기 마련이니까요. 처음에 한 두번은 이해하고 용서할 수 있겠지만 그 이후론 점점 지쳐가며 결국 포기하게 되는 것이 사람 마음이니까요. 지금 당장의 안일함으로 인해 소중한 사랑을 놓치고 싶지 않다면 매순간 명심하며 살아가세요. 아무리 사랑하는 사람이라도 매순간 그 사람의 입장만 이해해줄 순 없다는 것을. 상대방도 처음에만 불안한 거지, 시간이 지나면 점점 지치게 되고 당신을 놓아버리게 된다는 것을.

이기적인 사람은 만나지 마라

연애할 때, 내가 좋으니 너도 좋은 게 아니냐는 식으로 상대방을 대하고 행동하는 사람들이 있다. 만약 당신이 만나고 있는 사람이 매번 자기 마음과 방식대로만 행동하며, 내 행복이 네 행복이란 논리를 들이밀고 있다면, 서로 대화를 하고 말고를 떠나서 그런 사람과는 인연 자체를 끊어야 한다. 연애라는 건 서로가 만족할 수 있어야 진정 행복하고 애틋해질 수 있는 거니까. 둘 중 한 사람만 행복하고 한 사람이 불행하다면 그건 잘못된 길로 새어나가고 있단 확실한 증거니까.

이런 나라도 사랑해줘서 고마워

정말이지, 이렇게 못난 내가 어쩌다 너처럼 예쁜 꽃을 만나게 된 걸까. 그저 가만히 바라만 보고 있어도, 사소한 눈 웃음으로도 날 설레이게 만드는 이런 예쁘고 사랑스러운 너란 존재가 어떻게 내 품 안에, 내 인생에 스며들게 된 것일까. 사실 조금 숙쓰럽지만 네게 이 말을 항상 전하고 싶었어. 이렇게 못난 나를 좋아해주고 사랑해줘서 정말 고맙다고. 나와 매순간을 함께 해줘서, 나에게 소중한 추억들을 선물해주어서, 내 인생의 한 부분을 너라는 소중하고 예쁜 사람이 차지해줘서 너무너무 고맙다고. 나에게 넌 이렇게나 고마운 존재니까 앞으로는 내가 더 많이 아껴줄게. 항상 예쁘고 소중하기만 한 내 사람, 내가 정말 많이 사랑한다.

행복한 연애

행복한 연애라고 해서 꼭 특별하고 거창해야 하는 건 아니야. 그저 그 사람의 잠꼬대마저 마냥 사랑스럽게만 보이고, 곁에서 바라만 보고 있어도 사랑한단 말이 저절로 나오게 되고, 꼭 비싸고 좋은 음식이나 장소가 아니어도 함께 있으면 뭐든 맛있고 즐겁게만 느껴지고, 서로 힘든 일이 있을 땐 부담없이 편하게 의지할 수 있는 버팀목이 되어주고, 그렇게 서로의 소중함을 잊지 않고 하루하루 소소한 행복을 나누며 온전히 사랑을 주고받는 것. 그런 게 정말 행복한 연애겠지.

나 자신을 버리면서까지 사랑하지 말 것

연애할 때 상대방을 위해 희생하고 베풀고자 하는 마음가짐은 정말 좋지만, 나 자신을 버려가면서까지 연애에 모든 것을 쏟아부을 필요는 전혀 없습니다. 연애는 서로가 서로를 존중하며 이해하고 배려하는 과정이 중요한 것이지, 내 전부를 걸고 희생하면서까지 연애에 집착하게 되면 결국 손해보고 상처받게 되는 건 나 자신 밖에 없으니까. 어떠한 관계이든 간에, 너무 목매달고 아쉬워하게 되면 비참해지는 건 순식간이니까. 친구 사이이든, 연인 사이이든, 그 어떠한 관계라도.

연애할 때 다툼을 너무 피하지 마라

연애할 때, 서로간의 다툼을 피하기 위해 너무 애를 쓰는 사람들이 있습니다. 허나 그 사람과 오랫동안 사랑을 나누고 싶다면 그러지 말라고 말해주고 싶습니다. 상대방과 부딪히지 않으려고 내가 무조건 맞춰주고 이해하려다 보면 나만 더 힘들어지고 서로 간의 서운함과 오해만 쌓여갈 수 있으니까. 차라리 서로 부딪힐 땐 화끈하게 부딪히고, 진심으로 화해하고, 상대방을 이해하며 배려하려는 노력을 하는 것이 애틋한 연애를 이어가기 위해 더 큰 도움이 될 수 있습니다. 사랑은 그렇게 서로 맞춰나가는 과정 속에서 더욱 견고해지고 애틋해지는 법이니까.

상대방의 애정을 확인하고 싶다면

상대방이 나를 얼마나 사랑하고 있는지를 확인하고 싶다면, 평소에 그 사람이 나를 부를 때 어떻게 부르냐를 보면 됩니다. 다정하게 이름을 넣어서 자주 불러주는 사람이 있고, 야, 너 이런 식으로 제멋대로 호칭을 붙여 상대방을 함부로 부르는 사람 또한 있습니다. 야, 너가 아닌 다정히 이름을 불러준다는 건, 그 사람을 존중하고 사랑한다는 의미입니다. 날 함부로 부르는 사람 말고 다정히 이름으로 불러주는 사람을 만나세요. 그 사람은 나를 많이 사랑하고 존중하려 노력하는 사람일 테니까.

다그침이 아닌 자기반성을 하자

만약 내가 사랑하는 사람이 자꾸만 나의 마음을 자꾸 확인하고 싶어한다면, 다 알면서 왜 계속 확인하려고 하냐며 심히 다그칠 일이 아니라, 내가 그동안 이 사람한테 무심했던 건 아닌지, 나 자신을 되돌아보고 반성하는 시간을 가져봐야 합니다. 상대방이 준 사랑이 부족하거나 상대방이 확신을 주지 못했을 때, 불안한 심정에 나에 대한 그 사람의 마음을 확인하고 싶어지는 게 당연한 사람 마음이니까. 그럴 땐 당신의 마음을 있는 힘껏, 최대한 많이 보여주도록 노력하세요. 그렇게 한다면 상대방의 불안함은 사라지고 당신에 대한 신뢰와 사랑은 더더욱 커져갈 테니까요.

사랑은 오로지 느끼는 것

"사랑은 어떻게 주고 받는 거야?"

"사랑은 주고 받는 게 아니야, 온 몸으로 느끼는 거지."

예전엔 사랑 또한 어떠한 물체처럼 단순히 주고 받을 수 있는 것인 줄 알았어요. 그래서 상대방에게 어색하지만 몸짓과 말투로 나의 사랑하는 마음을 전해보려고 무척 애를 쓰기도 하고, 물질적인 선물이나 편지 같은 걸로도 온전히 내 마음을 줄 수 있도록 노력해본 적도 있어요. 그런데 결국 그게 아니더라고요.

사랑은 단순히 물체처럼 주고 받고 할 수 있는 게 아니라, 온 몸으로, 온 마음으로 느껴야 하는 것이더라고요. 그런 말 있잖아요, 서로의 눈빛만 바라보고 있어도 애틋한 마음이 느껴진다는 말. 그 말처럼 사랑이란 건 그런 거 같아요. 사랑하는 사람의 곁에 머무르고만 있어도 온 세상이 따스하고 아름답게만 보이고, 그러다 서로의 눈빛을 바라보게 되면 자연스럽게 끌어안게 되는 것.

굳이 사랑한다는 형식적인 말이나 물질적인 선물 또는 몸짓으로 표현하지 않더라도 누구보다 빨리 서로의 마음을 음미하고 나눌 수 있는 것. 그런 게 정말 사랑이 아닐까요.

진정 누군가를 사랑하는 마음이란

그 사람을 위해서라면 내가 조금 상처받고 아파해도 괜찮고, 그 사람을 위해서라면 나를 조금 기다리게 만들거나 불안하게 해도 괜찮고, 내가 준 만큼 돌려받진 못하더라도 그 사람이 내 곁에 있다는 것만으로도 축복으로 여기며 감사해하고, 내 가슴을 아프게 만들거나 날 눈물 흘리게 해도, 그 사람이면 다 괜찮고 용서할 수 밖에 없게 되는 것. 그 사람이라면 내게 하는 모든 짓을 허용하게 되어버리는 것. 그게 진정 누군가를 사랑하는 마음입니다.

연애할 때 자존심을 건들이면 안되는 이유

연애를 하다보면 상대방을 대하는 것이 너무 편해진 나머지, 어느 순간부턴 필터링을 거치지 않고 상대방에게 막말을 내뱉게 되는 경우가 많습니다. 이렇게 내뱉게 된 막말들이 상대방의 자존심을 짓밟게 되는 순간, 사소한 말 하나가 크나 큰 다툼으로 이어질 수도 있습니다. 무슨 일이 있더라도 상대방의 자존심을 건드리는 말은 하지 마세요. 상대방의 자존심을 건드리는 짓은 그 사람을 존중할 마음이 없다는 것을 표현하는 무례한 행동이니까. 사랑하는 사람의 자존심만큼은 지켜줄 수 있어야 서로 간의 불화가 생기지 않을 테니까.

사랑은 변치 않아야 하는 것

당신이 지금 누군가를 사랑하고 있다면, 그 마음이 절대 변치 않기 위해 항상 노력하세요. 사랑이란 것은 변하지 않아야 의미와 가치가 있는 것이니까요. 서로가 새끼 손가락을 걸며 한결같이 애틋한 사랑을 약속했다면, 절대 작고 사소한 일로도 상대방한테 상처주지 말고, 그 사람을 향한 마음이 한결같을 수 있도록 매순간 노력하세요. 그래야만 당신 곁에 그 사람을 영원히 내 곁에 머물도록 할 수 있어요. 그래야만 당신에게 그토록 소중한 그 사람을 지켜낼 수 있어요.

우리가 얼마나 소중한 인연일까요

서로 간의 다툼이 잦아지며 많이 지치고, 우린 아무래도 인연이 아닌 것 같단 생각이 들 땐, 그 사람과 처음 만났을 그 때의 설렘과 감정을 다시 한번 떠올려보는 게 어떨까요. 그리고 항상 잊지 말도록 해요. 우리가 얼마나 많은 우연과 상황들을 피해 이렇게 인연이 맺어질 수 있었는지. 이렇게나 소중하고 이렇게나 값진 인연인 사람일까요. 우리 최선을 다해 노력해보고, 그 다음에 판단하기로 해요. 혹시 모르잖아요. 힘든 날들을 모두 거치고 난 뒤엔 우리의 연애에도 예쁜 해피엔딩만이 남게 될 지도.

사랑을 구걸하거나 강요하지 마라

상대방한테 사랑을 구걸하거나 강요하지 말아요. 사람마다 마음의 크기가 조금씩 차이가 날 수 밖에 없고 그건 바꾸기 힘든 법인데, 지금보다 더 많은 사랑을 받고 싶단 자신의 욕심 하나 때문에 상대방을 너무 지치게 만들지 말아요. 우리도 분명 누군가에게 사랑받을 자격이 있는 사람이지만, 그렇다고 사랑을 강요할 수 있는 자격이 있는 것도 아니니까. 부디 크기에 상관없이 있는 그대로의 그 사람의 마음을 봐주세요. 사랑은 결국 일일히 계산하지 않고 상대방의 마음을 온전히 받아들이는 것부터가 서로가 행복해질 수 있는 길의 시작이니까요.

애정표현을 먼저 해주는 사람

애정표현이라는 게, 막상 먼저 하려고 하면 뭔가 부끄럽기도 하고 내가 먼저 좋아하는 마음을 표현하는 것 같아 자존심이 상하기도 하고, 혹시 상대방이 받아주지 않으면 어떡하지란 걱정도 들기 마련인데, 그럼에도 불구하고 내게 먼저 애정표현을 해주는 사람이 있다면 정말 감사해하고 그런 사람과의 관계에 최선을 다해야 합니다. 그런 걱정과 숙쓰러움을 무릅쓰고 내게 먼저 마음을 표현해준 사람이니까요.

조금은 바보같이 사랑하라

누군가와 연애를 시작할 때, 그 사람과의 헤어짐을 먼저 걱정하는 사람들이 있습니다. 허나 부디 그런 걱정은 하지 말아달라고 당부해주고 싶습니다. 물론 두 사람의 연이 언제까지 닿을지는 아무도 모르는 일이지만, '우린 언젠가 헤어질 사이' 이렇게 미리 정해놓고 만나는 건 나도 상대방도 너무 기운 빠지게 만들 수 있는 아주 나쁜 마음가짐이니까. 차라리 조금 바보같고 대책없을지 몰라도, '나는 이 사람과 결혼까지 할 거야' 이렇게 서로가 함께 미래를 그려나가며, 지금 이 순간에도 서로를 세상 그 무엇보다 많이 사랑해주려 노력하는 것이 어떨까요. 그게 정말 행복한 연애가 아닐까요.

연애할 때, 상대방이 익숙하게 느껴지는 이유

지금 내 곁에 있는 그 사람이 익숙하고 당연하게만 느껴진다는 것은, 이미 내가 그 사람에게 그동안 많은 사랑을 받았기 때문입니다. 사랑도 계속 받다보면 익숙하게 느껴지고 당연하게 여기게 되기 마련이니까요. 익숙함에 속아 소중한 인연을 놓치고 싶지 않다면 항상 기억하세요. 사랑을 하다 보면 무뎌질 때도 있지만 그 순간마저도 사랑이라는 것을. 내 곁에 있는 가장 익숙한 것들이 사실 내게 가장 소중한 것들이라는 것을.

무조건 있을 때 잘해야 한다

연애라는 게 다 그렇지 뭐.

평소엔 죽고 못 사는 상대방도 어쩔 땐 죽을만큼 미워질 때가 있고, 꼴도 보기 싫어서 마주치지도 않으려고 할 때도 있으니까. 허나 그래도 그 사람이 아직 내 곁에 머물고 있다는 건, 나를 미워하는 마음보다 사랑하는 마음이 훨씬 더 크기 때문이라는 것을 항상 기억해야 돼.

사랑하는 사람을 계속 실망시키고 상처주지 마. 그러다 언젠가는 사랑이 식어버리고 서로에게 미운 감정들만 남아버리게 될 수도 있으니까. 아무리 치고 박고 싸우고 서로에게 상처만 되어도 그 사람이 아직까지 내 곁에 남아 있다는 건 나를 여전히 많이 사랑하고 있기 때문이니까. 지금이라도 더 이상 실망시키지 말고 곁에 있는 그 사람한테 최선을 다해 잘해주도록 하자. 후회는 나중에 해봤자 너무 늦고 의미가 없을 테니까.

연인이라면 꼭 명심해야 할 한 가지

행복한 연인 관계라고 해서 꼭 다양하고 엄청난 노력을 해야만 하는 건 아니란다. 단지 이거 한 가지만 기억하고 절대 어기지 않으면 돼. 서로가 서로의 소중함을 잊지 말고 매순간 소중히 아껴주려고 노력하고 또 노력하는 것. 누군가는 이 하나마저 어렵게 느껴질 수도 있겠지만 내가 진정으로 사랑하는 사람과 함께라면 이까짓게 뭐가 어렵고 힘들겠어. 그러니 나의 소중함을 항상 가슴에 새겨두는 사람을 만나고, 나 또한 그 사람의 소중함을 잊거나 함부로 대하지 않는 사람이 되려고 노력하도록 하자. 누가보면 가장 평범해보이는 노력들 중 하나겠지만 사실 이것만큼 꺼지지 않는 애틋한 사랑을 만들어주는 데 좋은 특효약이 없으니까.

나에게만 잘해주는 사람을 만나라

네가 만약 누군가와 연애를 하게 된다면, 다른 사람들은 몰라도 모든 사람들에게 잘해주는 사람은 절대 만나지 말았으면 좋겠어. 내 사랑하는 애인이 다른 이성한테까지 잘해주는 모습을 보는 거. 사실 그것만큼 사람 피말리고 속상하게 만드는 짓이 어디에 있겠어. 그렇게 내 마음을 서운함 투성이로 난도질 하는 사람은 절대 만나지 말고, 항상 너만 특별하게 생각하고 여겨주는 사람을 만났으면 좋겠다. 누군간 이런 마음가짐이 이기적이라 말할 수도 있겠지만, 이런 네 모습마저 온전히 사랑해줄 수 있는 사람을 만나야지 진짜 사랑받는 연애라는 게 뭔지 네가 느껴볼 수 있게 되고, 너도 나중에 또 다른 누군가에게 그런 사랑을 베풀 수 있는 사람이 될 수 있을 테니까.

함께 노력해나가는 것

연애를 하다보면 두 사람이 함께 맞춰나가기 위해 서로가 노력을 실천해야 할 시기가 찾아오게 됩니다. 허나 수많은 연인들이 그 과정에서 실패하고 깨지게 되는 가장 큰 이유는, "나는 할만큼 했어, 이제 너만 노력하면 돼." 이런 식으로 각자의 선에서만 최선을 다해 노력했기 때문입니다. 관계에서의 노력은 내 멋대로, 내 방식대로만 하는 것이 아닙니다. 항상 두 사람이 함께 의견을 주고 받으며 함께 노력해나가야 하는 것입니다. 항상 명심하세요. 너는 너대로, 나는 나대로의 식으로 각자의 선에서 최선을 다하는 것이 아닌, 서로가 같이 의논하고 함께 실천할 수 있는 노력이 진정한 힘을 발휘할 수 있다는 것을.

우린 잠시 여행을 갔다온 것 뿐

우리가 서로를 사랑하는 시간이 조금만 더 짧았더라면 사랑의 끝에 다가올 아픔을 견뎌내는 시간또한 조금은 줄어들 수 있었을까. 그랬다면 끝이란 말 앞에서 마지막까지 미련을 두며 서로 비참한 모습을 보이지 않을 수 있었을까. 사랑이란 거 할 땐 너무 행복하고 세상을 다 가진 것 같아서 좋았는데 끝날 때는 왜 이렇게 아프고 힘든 걸까. 이별이란 말을 곱씹고 삼키기엔 마음이 그냥 넘어가 줄 것 같지가 않으니 우리, 그냥 그렇게 생각하도록 하자. 당신과 나는 잠시 인연을 닿아 함께 여행을 갔다온 것 뿐이라고. 물론 돌아온 것은 나 혼자 뿐이었지만.

사랑은 재채기와 같다

사랑이란 감정은 재채기와 비슷해요. 아무리 숨길려고 애를 써도 절대 숨길 수가 없거든요. 입은 절대 아니라고 시치미를 뗄 수 있으나 눈은 이미 그 사람에게서 시선을 뗄 수가 없고, 머리는 아닐 거라고 세뇌시키며 불안해하지만 가슴은 이미 자신의 감정에 대해 확신을 품어버리게 되는 것이잖아요. 사람이 사람을 진정으로 좋아하게 되면, 아무리 감추려고 해도 다 티가 나요. 누가 봐도 얼굴에 전부 써져있잖아요. 내가 지금 이 사람을 좋아합니다, 라고 말이에요.

지우고 싶은데 지우기 싫은 기억

차라리 지워버렸으면 싶으면서도 지우기 싫은 기억들이 있다. 그 사람과 싸우고 다투었던 나날들을 생각하면 왜 더 잘해주고 아껴주질 못했을까, 이런 후회감에 차라리 기억을 지워버렸으면 싶지만, 또 함께 웃고 울며 행복했던 나날들을 떠올리면 그때의 추억이 너무나도 소중해서, 가슴 속에 고이 간직하고 싶어서 쉽게 잊지를 못할 때가 있다. 추억이란 게 참 그렇다. 그 추억으로 인해 힘들 땐 차라리 기억을 지워버렸으면 좋겠지만, 어쩔 땐 그 시절을 연상하게 하며 그립게 만들기도 하고, 피식 웃으며 내일을 살아갈 힘을 만들어주기도 하니까. 날 가슴 아프게 할 때도 있지만 내일을 살아갈 힘을 불어 넣어주는 것. 그런 게 추억이 아닐까 싶다.

너무 아픈 사랑은 사랑이 아니었음을

우리, 이제 그만 인정하도록 해요. 처음에는 서로 좋았을지 몰라도 지금 이렇게까지 날 힘들게 하는 사람은 애초부터 나와 인연이 아니었던 것이라는 것을. 아무리 사랑했던 사람이라도 그로 인해 내가 힘들고 지친다면 언젠가는 떠나보내야 할 순간들이 찾아온다는 것을. 나만 놓으면 끊어질 인연이라면 진작에 미련을 두지 않고 끊어놔야 한다는 것을. 결국 너무 아픈 사랑은 사랑이 아니었다는 것을.

먼저 용기를 내볼 것

사랑하는 사람이 제발 내 마음을 알아주었으면 하지만 같은 마음이 아닐 것 같은 불안함에 사로잡힐 때가 있습니다. 만약 내 마음을 들키게 되었을 때, 이 사람이 나와 같은 마음이 아니라면 어떡하지, 그렇게 되서 서로의 마음이 점점 멀어지게 되면 어떡하지, 이런 걱정과 불안함 말입니다.

이런 불안함이 찾아올 때는 단 세 가지만 기억하세요.

첫째, 서로의 마음은 어차피 내 바람과는 상관없이 전혀 다를 수도 있다는 것.

둘째, 사람이란 게 상대방이 먼저 말을 꺼내지 않으면 그 사람의 마음을 전혀 모를 수 밖에 없다는 것.

셋째, 불안함에 안절부절해하며 아무것도 하지 않는 것보단 있는 힘껏 용기를 내어 마음을 전하는 것이 오히려 미련과 후회가 덜 남는 덜 아픈 선택일 수 있다는 것.

마음을 열고 닫을 때도 적당히

누군가에게 마음을 열어줄 때도 적당한 시간을 두고 열고 닫는 편이 좋습니다. 너무 빨리 마음을 열어주게 되면 쉬운 사람으로 보일 수 있고, 너무 빨리 마음을 닫아버리게 되면 차가운 사람으로 보일 수도 있으니까요. 너무 빨리 닫지 않고, 너무 쉽게 열지 않고 조금 천천히 여유를 두고 마음을 열어줘서 내 마음이 진심이란 걸 상대방에게 확인 시켜주세요. 그렇게 되면 분명 당신에 대한 상대방의 신뢰도는 상상할 수 없을 만큼 커지게 될 테니까요.

서로 부족한 부분들은 채워나갈 것

우리, 너무 서로의 부족함을 탓하기만 하지 말고 그 부족한 부분들을 함께 채워나갈 수 있도록 항상 노력하기로 해요. 둘 중 한 사람이 괜한 자존심이 세울 땐 내가 먼저 자존심을 꺾고 사과하기도 하고, 그날따라 기분 나쁘거나 힘든 일이 많았을 땐 곁에서 묵묵히 들어주며 서로에게 든든한 버팀목이 되어주도록 해요. 아무렴 그런 게 결국 사랑이잖아요. 서로를 믿고 의지하고, 또 울고 웃으면서 함께 인생을 걸어나가는 것. 당신과 나, 우리, 그런 애틋한 사랑을 해요.

결국 결말은 똑같을 테니까

헤어진 사람과 다시 만난다는 것은, 똑같은 영화를 반복해서 보는 것과 같습니다. 물론 누구나 다시 보고 싶은 영화가 하나쯤은 있기 마련이지만, 똑같은 영화는 아무리 다시 돌려보더라도 결말은 절대 변하지 않는 법입니다. 한 번 만나보고 실망한 사람과의 관계는 아무리 노력해도 되돌릴 수 없습니다. 다시 만나 노력해서 나아질 수 있는 관계였다면 애초에 헤어지지도 않았을 겁니다. 그러니 나에게 실망과 상처만 주고 헤어진 사람을 다시 만나지 마세요. 또 다시 똑같은 이유로 상처받고 실망한 다음 비참한 헤어짐을 맞이하게 될 테니까요.

아무나 만나지 말고, 아무나가 되지도 말고

외로움에 아무나 만나지 말기 전에, 네가 그 아무나가 되지 말았으면 좋겠다. 단지 외로움 때문에 마음에도 없는 너를 곁에 두고 싶어하는 쓰레기들 말고, 너 아니면 안된다는 절실한 마음으로 온전히 사랑해줄 수 있는 사람을 만났으면 좋겠다. 넌 충분히 좋은 사람인데 왜 자꾸 쓰레기들만 만나려고 그래. 다 알아. 너 정말 아깝고 소중하며 아름다운 사람인 거. 네 소중한 마음을 가볍게 생각한 그 새끼들만 모를 뿐이지.

순수한 사랑은 끝났다

요즘 사랑이란 것을 하는 여러 연인들을 보면 나도 모르게 이런 생각이 들고 맙니다. 저 두 사람, 행복해보이네 딱 좋을 때다. 이런 생각 말입니다. 마치 늙은 어르신처럼 말을 하는 제 모습에 가끔 깜짝 놀라기도 하고, 또 신기하기도 하며, 때론 하염없이 우울해지기도 합니다.

이때 우울해지는 이유는, 지금 길을 지나다니며 마냥 행복해보이는 무수히 많은 저 연인들처럼 나는 누군가와 사랑을 할 수가 없게 되었기 때문입니다. 처음 사랑을 할 땐 설렘과 기대만으로 가슴이 벅차올랐지만, 현재는 누군가를 사랑하는 마음이 커질 때마다 가슴 한 켠에선 불안함이란 녀석도 점점 부피가 커지기 시작했습니다.

내가 이렇게 많이 사랑하게 되었는데 만약 이 사람과 헤어지면 난 어떡하지. 내 세상은 어떡하지. 이런 고민들로 인해 나는 이제 누군가를 만날 때 걱정 없이 사랑하는 법, 만남 전부터 이별을 걱정하지 않는 법 따윈 이미 까맣게 잊어버리게 되었습니다. 누군가가 제게 왜 사랑을 하지 않느냐는 질문을 던진다면 저는 덤덤히 말할 테지요. 내 순수한 사랑의 계절은 이미 끝났다고 말입니다.

지나간 것이 아니라 이미 끝이 났다고. 나는 처음과 같이 순수한 마음으로 누군가를 한결같이 좋아해줄 용기가 없다고 말입니다. 이러한 생각들을 하다 보니 이런 생각이 들었습니다. 아아, 내 사랑에 있어 봄은 다신 찾아오지 않을 거라고 말입니다.

그래요, 맞습니다. 사랑은 그럴 때 해야 했습니다. 사랑 하나만 있으면 세상 모든 것을 다 가진 것과 같이 마냥 행복할 때. 사랑하는 이와 함께라면 세상 그 어떤 험난한 길도 두렵지 않을 때. 누군가에게 마음을 편하게 열어주고 상대방의 마음도 의심 없이 받아들여줄 수 있었을 때. 누군가를 사랑하는 것에 설레임과 기대만 가슴에 품고, 전혀 두려워하지 않았을 때. 망설임 없이 서로의 마음을 순수하게 받아들이고 두려움 없이 누군가를 열렬히 사랑할 수 있었던 그때.

그때가 내 순수한 사랑이 꽃이 피우던 시절이었고, 이젠 그 꽃마저 만남과 헤어짐을 반복하며 많이 시들해졌지 뭡니까.

사랑은 사소한 데에서부터

왜, 사랑은 사소한 데에서 시작한다고 하잖아. 나도 그 사소함이란 게 뭔지 처음엔 긴가민가 했는데, 이제야 좀 알 수 있을 것 같더라. 네 웃는 미소만 바라보면 나도 덩달아 웃음이 나고, 혼자 잠꼬대를 하는 네 모습을 볼 땐 너무 귀여워서 어쩔 줄도 모르겠고, 가끔 넋지긋히 바라보면 이렇게나 예쁜 사람이 내 곁에 있단 사실이 너무 꿈만 같고 또 감사해지고, 그런 게 결국 사랑이더라고. 많은 사람들이 찾아다니는, 사소한 일상에서 느껴볼 수 있는 참된 사랑 말이야.

혼자 인연이라고 착각하지 말 것

혼자 인연이라고 착각하지 마세요.

아무리 자주 마주치고 계속해서 만나게 된다고 해도 나와 그 사람이 무조건 인연이라고 장담할 순 없습니다. 진정 인연이라는 것은 나와 마음이 맞는 사람을 뜻하는 것이니까요. 그 사람의 마음을 잘 알지도 못하면서 '그 사람과 나는 분명 인연일 거야' 이렇게 나 혼자 착각하는 것은 오히려 더 큰 실망감과 상처만을 가져다줄 수 있습니다. 그러니 상대방의 마음을 알기 전까진 혼자 판단하고 착각하지 말아요. 당신, 예전에도 그랬다가 상처받았던 적이 벌써 한 두번이 아니잖아요.

연애할 때 가장 중요한 마음가짐

연애할 때 가장 중요한 태도는, '지금보다 더 뜨겁게 사랑해야지'가 아니라 '지금보다 더 식지 않기 위해, 지치지 않기 위해 노력해야지.' 이런 마음가짐으로 상대방을 대하는 것입니다. 아무리 뜨겁게 달아오른 사랑이라도 단 한 순간에 식어버릴 수 있고, 그렇게 되면 지금껏 내가 쏟아부은 노력들은 전부 무용지물이 되어버리기 십상입니다. 그러니 항상 기억하세요. 사랑은 지금보다 더 뜨거워지는 것이 중요한 게 아니라 지금보다 더 차갑게 식거나 지치지 않는 것이 가장 중요하다는 것을. 언제나 변하지 않겠단 마음가짐으로 연애에 임하는 것이 애틋한 사랑을 키워나갈 수 있는 가장 현명한 방법이라는 것을.

사랑 앞에선 그 무엇도 논하지 말 것

우리, 사랑에 의미나 이유를 논하지 말기로 해요. 서로가 서로를 좋아하는 마음만 확인할 수 있으면 된 거지, 왜 자꾸 계산하고, 자연스러운 감정에 타당한 근거를 붙이려고 하는 거에요. 사람이 사람 싫어할 때 별 다른 이유가 없는 것처럼, 사람이 사람 좋아할 때도 별 다른 이유는 없는 거잖아요. 별 다른 이유 없이 그 사람 자체가 좋아서 사랑에 빠지게 되는 것이잖아요. 우리, 그러니까 순수한 마음으로 사랑을 해요. 아주 순수한 마음으로, 서로를 온전히 받아들일 수 있는 그런 애틋하고 담백한 사랑 말이에요.

사람 마음

사람 마음이란 게 참 웃기지.

사람은 쉽게 바뀌질 않는데
사람 마음은 또 참 쉽게 변하고 식어버리니까.

사랑에 아파하고 무너지는 너에게

난 네가 어차피 안될 사랑에 너무 마음 쓰지 말았으면 좋겠어. 어차피 더 좋은 사람은 이 세상에 널렸다는 마음에도 와닿지 않는 말을 하고 싶은 게 아니라, 정말 너처럼 있는 그대로가 참 예쁘고 아름다운 꽃이, 왜 그런 스쳐가는 인연들한테 꺽이려고 하는지 전혀 이해가 안되서 그래. 너, 지금도 충분히 예쁜 사람이고 더 좋은 사랑 만나서 행복해질 자격이 있는 사람인데 왜 자꾸 너 스스로를 바닥으로 떨어트리려 그래. 이제 우리 제발 행복하자, 내 마음을 갖고 노는 쓰레기같은 새끼들은 걸러내고, 널 진정으로 아껴주고 사랑해줄 수 있는 사람 곁에서 부디 행복만 하기로 하자, 알았지.

대화와 공감이 필요할 때

서운함을 느낀 상대방의 기분을 가장 빨리 풀어줄 수 있는 방법은 비싼 선물이나 번지르르한 수 백가지의 말이 아닙니다. 오로지 대화와 공감 뿐이에요. 상대방이 어째서, 어떤 부분에서 서운함을 느꼈는지 먼저 그 사람의 입장에서 생각해보고, 괜한 자존심을 세우기보단 내가 먼저 다가가 그 사람의 감정에 공감해주고, 앞으론 다신 그런 일이 없을 거라며 미안한 마음을 표현하고 다독여주는 것. 우리 이렇게 서로 간의 서운함과 오해가 쌓이지 않도록 노력하기로 해요. 그래야 지금의 이 소중하고 애틋한 관계가 큰 흔들림 없이 지속될 수 있지 않겠어요.

연인 사이에 거짓말을 하면 안되는 이유

연인 사이에서 절대 하면 안되는 것들 중 하나는 거짓말입니다. 이 정도는 괜찮겠지, 안일한 생각으로 간단한 사실조차 숨기는 사람이 있고, 혹여나 상대방이 알고 걱정할까봐 애써 입을 다무는 사람들도 있을 거에요. 하지만 어떤 관계에서도, 그리고 어떠한 경우에서든 거짓말은 크기와 상관없이 절대로 용납될 수 없는 잘못이에요. 그리고 한번 신뢰가 깨진 관계는 절대 돌이킬 수 없다는 걸 항상 기억하세요. 부디 내 곁에 있는 그 사람과의 소중한 관계, 작고 사소한 거짓말 하나 때문에 흔들리고 무너지게 만들지 말았으면.

익숙한 것들은 모두 소중한 것들

만약 항상 곁에 있어주던 누군가를 떠나보내게 되었을 때 가슴 한 쪽이 저릿하며 아파온다면, 그건 그만큼 그 사람이 내게 소중한 존재였다는 뜻입니다. 대부분의 사람들이 있을 때 잘하라는 말을 지키지 못하는 이유는, 함께할 땐 소중함이 익숙한 감정들을 이길 수가 없기 때문입니다. 깨달음은 너무 늦게 찾아오고 후회해봤자 결과가 달라지진 않습니다. 그냥 하나만 기억하면 됩니다. 내 주변에 익숙한 모든 것들은 사실 내게 가장 소중한 존재들이라는 것. 이거 하나만 명심하면 됩니다.

확인사살

나는 마음을 달라고 한 적도 없었는데 자기 멋대로 마음을 줘놓고선, 이제 내가 준 만큼 돌려달라며 무작정 떼를 쓰는 사람들이 있습니다. 아주 그냥 내 패는 이미 깠으니까 이제 네 패도 보여달란 식입니다. 그런 무례한 사람들을 만났을 땐, 화를 내거나 무시를 하는 방법보단 내 현재 입장을 정확히 말해주며 확인사살하는 것이 중요합니다. 난 당신에게 마음을 달라고 한 적도 없고 당신 마음 같은 건 애초에 관심도 없었다고. 이렇게 말하고 나서 괜한 죄책감에 시달릴 필요는 없습니다. 그 사람이 먼저 날 곤란하게 했고 자업자득일 뿐이니까, 때론 심하게 짓밟지 않으면 계속 날 힘들게 만드는 사람들도 참 많은 세상이니까요.

얼굴만 떠올려도 가슴 아픈 사람

얼굴을 떠올리기만 해도 가슴 아픈 사람이 있다는 것은, 그때 그 시절 나와 그 사람이 그만큼 서로를 많이 사랑했다는 거에요. 그래서 어차피 지나갈 인연인 걸 알면서도 자꾸만 미련이 남게 되고, 많은 시간이 흐른 뒤에도 떠올릴 때마다 가슴 한 쪽이 쿡쿡 쑤시고 그런 거에요. 허나 그런 사람이 있다는 사실을 너무 부정적이게 생각하지 말고, 오히려 엄청난 축복으로 여기면 어떨까요. 얼마나 굉장한 일이에요, 내 가슴에 손을 올리면 추억이 떠오르는 사람이 있다는 게. 우리, 너무 아프고 슬프게만 생각하진 말자고요. 어찌됐든 간에 가슴 아픈 사랑 한번쯤은 해봤다고 자신있게 말할 수 있어야지, 그게 인생 아니겠어요.

당신이 좋은 사람을 만나고 있단 증거

그 사람과 있을 때 마음이 편안하고
매 순간이 즐겁고 행복하다.

서로 멀리 떨어져있을 때도 불안해하지 않게
자주 연락해준다.

사소한 일에서도 상처받거나 실망하는 일이 거의 없다.

가끔 다툼이 일어나도 서로 금방 자존심을 굽히고
먼저 사과한다.

내가 지금 사랑받고 있다는 느낌이 확실하게 든다.

함께하는 시간이 지속될 수록 내 자존감이
높아지는 기분이 든다.

서로 얼굴만 바라봐도 행복하고
어쩔 땐 너무 행복해서 눈물이 날 때도 있다.

이 사람이 아니면 난 안된다는 생각이
가슴에 확 와닿는다.

연애할 때 너무 많은 것을 바라면 안되는 이유

연애할 때 상대방에게 너무 많은 것을 바라지 말아요. 그저 서로 사랑할 수 있음에 감사해야 합니다. 내가 사랑하는 사람한테 사랑한다는 말을 전했을 때, 나도 사랑한다는 말을 들을 수 있는 게 얼마나 근사하고 찬란한 축복인데요. 너무 많은 것에 집착하며 욕심내지 말고, 너무 작은 것에 서운해하며 관계를 무너뜨리지 말아요. 그저 서로가 이렇게 함께 손을 잡고 사랑을 속삭일 수 있다는 것. 이것만큼 행복하고 기쁜 일이 세상 어디에 있겠어요.

책임감

어렸을 땐 그냥 서로 좋아하는 마음 하나만 갖고 있어도 행복할 수 있었는데, 어른이 되어서 행복하고 애틋한 사랑을 하기 위해선 그만큼의 책임감이 필요한 법이더라. 평생 함께할 수 있을진 모르지만 적어도 함께 있는 동안에는 세상 누구보다 많이 사랑해줘야겠다는 책임감. 매순간 행복하게 만들어주진 못하겠지만 적어도 눈에서 눈물 떨어지게 하진 않겠다는 책임감. 세월이 흘러감과 상관없이 이 사람을 변치 않는 마음으로 사랑해주고 이 사람을 위해서라면 내 모든 것을 기꺼이 바칠 각오를 다지겠단, 그런 책임감.

변하지 않는 것은 없다

한때 소중했던 사랑이 그저 과거로 변해가는 것을 바라볼 때의 비참함과 가슴 아픔은 이루 말할 수 없다. 그 사람이 내게 얼마나 소중한 사람이었고 소중한 관계였는데, 이런 관계에 대한 미련에 자꾸 현실을 부정하게 되고 차마 관계가 무너지는 비참한 과정을 바라보기 싫어서 자신이 먼저 눈을 감아버리곤 한다.

허나 지금껏 수많은 사랑의 아픔을 겪어오며 내가 느낄 수 있었던 단 한가지는, 세상에 변하지 않는 것은 없다는 것이다. 사람도, 사랑도, 삶도, 주변도 그 어떠한 것들도 결국 언젠가는 변하기 마련이고 그 과정 속에서 우리는 무수히 많은 실망과 상처를 얻을 수 밖에 없다는 것이다.

그러니 어차피 변할 것들에 변하지 말라고 외치며 너무 아파하지 말았으면 한다.

그럴 시간에 더 좋은 인연을 찾고 더 좋은 사랑을 찾으려고 노력했으면 좋겠다. 물론 지금의 상처는 그 누구도 치유하거나 안아줄 수 없을 것처럼 느끼겠지만, 지금 이 순간엔 그 사람이 내 전부고 그 사람보다 좋은 사람은 절대 못 만날 거라 생각하겠지만, 이 순간의 아픔 또한 언젠간 지나가기 마련이고 사랑에게 받은 상처는 또 다른 사랑으로 치유해야만 하는 법이니까.

너무 걱정하지 말아. 더 좋은 사람들이 네 인생에 아직 많이 남아 있으니까. 고작 그 사람 하나 때문에 네 소중한 인생이 벌써 시든 것은 아니니까.

내 세상 전부였던 사람

어떠한 핑계를 대서라도 다시 얼굴을 한번이라도 더 보고 싶은 사람이 있어요. 어떤 날엔 달이 예쁘다는 뻔한 핑계로, 또 어떤 날엔 낙엽풍경이 근사하단 핑계로 불러내서 함께 거리를 걷고 싶은 사람이 있어요. 누구나 한번쯤은 그런 사람 있잖아요. 그 사람을 위해서라면 내가 좀 구차하거나 찌질해보여도 괜찮은, 내 모든 걸 주어도 아깝지가 않고 오히려 다 내어주길 잘했다는 생각이 드는, 한때 내 세상 전부가 되어줬던, 그런 사람 말이에요.

나를 위해 전부를 바칠 수 있는 사람

내 마음을 함부로 갖고 노는 사람 말고, 내 마음을 너무 쉽게 얻으려는 사람 말고, 내 마음을 얻기 위해 자신의 모든 것을 바치고 헌신짝처럼 포기할 수 있는 그런 사람을 만나요. 그리고 그런 사람에게만 마음을 주세요. 당신 마음이 얼마나 소중한데요. 그렇게 아무에게나 쉽게 보여주고 내어줄 수 있는 하찮은 것이 절대 아니에요. 그러니 그렇게 귀중한 마음을 내어줄 땐 항상 신중하게 고민하고 또 고민한 뒤에 건넬 수 있도록 해요, 우리.

첫사랑이 그토록 아픈 이유

첫사랑이 아픈 이유는 단순히
그 사랑이 이루어지지 않아서가 아닙니다.

그 시절 순수한 마음으로 사랑할 수 있었던 나 자신의 모습이 그립기 때문이고, 이제서야 그 사람의 마음을 알 것만 같기 때문이고, 이제 와서 되돌리기엔 너무 많은 시간이 흘러버린 것을 깨달았기 때문입니다.

허나, 그 사람이 첫 사랑이었기에 또 다행인 부분들도 있습니다. 한번 가슴 아픈 실패를 경험했기 때문에 인연의 소중함을 알게 되기도 하고, 이별의 아픔을 느끼게 되기도 하고, 누군가를 사랑함에 있어서 조금 더 성숙해질 수 있게 되기도 하고, 또 이루어지지 않았기 때문에 가슴 설레는 추억으로 그 사람과 함께한 시절을 계속 기억할 수 있기 때문입니다.

첫사랑이란 그렇습니다. 그 사람의 얼굴만 떠올리면 가슴 한 쪽이 저릿저릿하며 아파오지만, 또 그때의 설렘과 긴장이 떠올라서 가슴이 나도 모르게 요동치게 되는, 그런 것.

아아, 끊고 싶지만 절대 끊을 수 없는 마약 같달까요. 첫사랑이란.

네가 오로지 내 것이면 좋겠다

그 사람이 나한테만 다정한 사람이었으면 좋겠다. 다른 사람한테 한눈 팔지 않고 오로지 나만 사랑스러운 눈으로 바라봐주고, 다른 사람한테 다정하지 않고 오로지 나한테만 착하고 다정한 모습을 보여주고, 다른 사람한테 마음 주지 않고 오로지 내게만 마음을 주었으면 좋겠다. 그렇게 그 사람의 다정함도, 그 사람의 눈길도, 그 사람의 마음도, 오로지 내게만 향하고 나만의 것이었으면 좋겠다. 너의 처음이자 마지막인 사랑이 오로지 나 뿐이었으면 좋겠다.

스스로 을이 되는 사람

연애할 때 자기 스스로 을이 되는 사람들이 있습니다. 허나 그런 사람들을 너무 한심하게 생각하고 손가락질 하진 마세요. 을이라는 것도 결국 둘 중 더 많이 사랑하는 사람이 가지게 되는 역할이니까. 남이 볼 땐 좀 많이 한심하고 호구같아 보일지는 몰라도 자신이 그 사람을 더 많이 사랑하기 때문에 모든 것을 다 바치고 헌신할 각오로 을이 되기로 결심한 사람들이니까. 얼마나 멋진 사람들입니까. 누군가를 사랑하기 때문에 내 전부를 망설임 없이 바친 것인데.

사랑

나중에 시간이 흘러 꺼질 순 있지만, 흔들리진 않는 것이 사랑입니다. 비록 나중엔 조금 식을 수도 있겠지만, 적어도 함께할 땐 감정에 대한 흔들림이 없는, 오로지 확신만을 품게 되는 것이 사랑입니다. 만약 그 사람과 함께할 때 지금 내 감정이 어떤지 잘 모르겠고 자꾸 헷갈린다면, 그것은 절대 사랑이 아니고, 함께할 인연도 아닙니다. 잠깐 만났다 헤어질 가벼운 인연이기 때문에 자꾸 헷갈리고 엇갈리는 것입니다. 함께 있을 때 내가 이 사람을 사랑하고 있구나, 확신이 드는 그런 사람을 만나 사랑하세요. 나중에 꺼질진 몰라도 함께할 땐 흔들림 없는 굳건한 사랑을 하세요. 그게 진정한 사랑이고 의미있는 만남입니다.

말 안에 담겨진 의미

내가 많이 사랑한다는 말 안엔 나한텐 네가 내 세상 전부라는 애틋한 의미가 담겨있고, 내가 많이 미안하다는 말 안엔 나의 자존심따위 보단 너와의 관계가 더욱 소중하단 배려심 깊은 마음이 담겨있습니다. 그러니 내 주변의 사람들이 어떠한 말이나 애정표현을 건넸을 땐 있는 그대로 듣고 그대로 믿는 것보단, 그 안에 담겨진 뜻이나 의미를 잘 들여다보도록 하세요. 그래야 서로의 마음을 보다 더 잘 알 수 있고 그렇게 되면 둘 사이의 관계는 더욱 애틋하고 견고해질 테니까.

연애할 땐

내가 잃을까봐 두려운 사람 말고 나를 잃을까봐 두려워하는 사람을 만나세요. 나만 아쉬움이 남는 관계는 아무리 노력해도 아무런 의미가 없습니다. 결국 내게 남게 되는 건 비참함과 상처 뿐입니다. 그러니 나를 잃지 않으려고 항상 노력하는 그런 사람을 만나세요. 적어도 그런 사람 한명쯤은 곁에 둬야 내가 정말 사랑받는 삶을 살 수 있을 테니까.

그런 사람

떠올리면 한없이 미안해지고 고마운 마음만이 가득한 사람이 있어요. 왜 그때 그렇게 모질게 굴고 함부로 대했었는지. 익숙한 것들에 속아 소중한 그 사람에게 자꾸만 상처를 준 것인지. 얼굴을 떠올리면 떠올릴 수록 나 자신에 대한 자책과 후회만 남고 만약 길을 지나가다 마주치게 된다면 얼굴조차 제대로 쳐다보지 못할 만큼 미안해지는, 그런 사람.

마음껏

마음껏 사랑하고, 마음껏 아파하고, 마음껏 무너지고, 마음껏 미워해도 괜찮아요. 조금 미련한 사람처럼 보일진 몰라도, 그럼 어때요. 그렇게 해서 지금 내 마음의 짐을 조금이라도 덜어낼 수 있다면, 결국 그게 정답 아니겠어요.

아픈 사랑을 하느라 참 애쓴 너에게

참 애썼다. 아픈 사랑을 혼자 버텨내느라.

처음엔 누구나 쉽게 마음을 주고 사랑에 빠지게 되지만 시간이 지날 수록 사랑이 마냥 달콤하고 행복하지만은 않다는 걸 언젠가 깨닫게 되는 순간이 오는 것 같아. 아마 지금 네가 그런 시기가 아닐까, 싶어. 이젠 누군가를 사랑하게 되면 내가 더 아파하고 상처받게 될까봐 겁이 나고, 새로운 사랑을 시작할 용기 따윈 생각조차 할 수 없겠지. 그런 너를 심하게 다그치거나 급하게 사랑하라고 부추길 마음은 전혀 없어. 조금 천천히 쉬어가도 돼. 그리고 넌 지금껏 참 애썼으니, 그동안 힘들었던 시간들만큼 더 좋은 사람, 더 좋은 사랑을 만날 수 있을 거야. 그땐 우리 반드시 행복만 하자, 알았지.

이젠

더 이상

무뎌지지도

말고

무너지지도

말았으면

하는

마음으로

힘들 땐 주변을 둘러볼 것

살아가는 게 힘이 들고 지칠 땐 지금껏 걸어왔던 이 길을 돌아보며 아깝지 않냐며, 그 생각하며 더 힘내라는 말을 하는 사람들이 있습니다. 허나 절대 그러지 마세요. 원래 사람 마음이란 게 지금까지 힘들었던 시간들을 떠올리면 더 우울하고 기운 빠지기 마련입니다. 그냥 힘들 때나 좋을 때나 내 주변에 항상 머물러주는 사람들을 바라보세요. 지금껏 걸어온 내 길을 떠나서 저 사람들을 위해서라도, 실망시키지 않기 위해서라도 열심히 살아야지, 이런 마인드로 살아가는 것이 훨씬 덜 스트레스 받고 마음도 편합니다. 그러니 너무 힘들고 지칠 땐 내 곁에 머물러주는 사람들을 바라보세요.

행복

행복이란 말이 뭐 별거겠어요.

그동안 바쁘다는 핑계로 소홀히 대했던 소중한 사람들과 따듯한 밥 한 끼를 먹고, 그동안 숙쓰럽단 핑계로 표현을 뒤로 미루었던 애인의 귓가에 사랑한단 말 한 마디를 속삭여주고, 그동안 앞만 보며 열심히 달려오느라 많이 지쳐있는 내 마음에 잠시 휴식도 좀 주고, 그렇게 정상에 있는 꽃만 보고 달리느라 제대로 보지도 못한 채 그대로 놓칠 뻔 했던 주변의 소중한 것들에 집중하며 소소한 만족감을 느끼게 되는 것. 꼭 크고 위대한 목표가 아니라도, 작고 소소한 일상 속에 숨겨진 의미를 발견하고 그 안에서 미소 짓게되는 것.

그게 행복인 걸요.

요즘따라 부쩍 예민해진 당신에게

요즘 작은 일로도 쉽게 서운하고 우울해지진 않았나요.

누군가 툭 던진 말 한마디 때문에 하루종일 기분이 울적하기도 하고, 평소 같으면 그냥 넘어갈 수 있는 일에 화를 버럭 내며 욱하는 모습을 보이고 있진 않았나요. 그런 당신에게 먼저 수고했다는 말, 참 애썼다는 말을 전해주고 싶어요. 사람의 신경이 예민해졌다는 건, 그만큼 마음이 많이 지쳐 있다는 뜻이잖아요. 그러니 지금껏 하던 일을 내려놓고 천천히 쉬었다 가도록 해요. 당신은 충분히 최선을 다했고 휴식을 누릴 자격이 충분한 사람이니까요.

하찮고 보잘것없은 삶은 없다

이 세상에 보잘 것 없고 하찮은 삶은 없습니다.

차라리 등져버리고 싶은 그 어떠한 삶이라도 저마다의 가치와 의미가 있는 법이니까. 그러니 자신의 삶을 너무 포기하거나 깍아내리지 마세요. 지금이 힘들기 때문에 더 보잘 것 없고 하찮다고 생각되는 것 뿐입니다. 당신의 삶이 얼마나 존재 자체로도 의미있고 소중한 것인데요. 그러니 지금 무너지고 포기하지 마세요. 평생 영원히 변치 않을 것만 같던 사랑이 끝나거나, 추운 겨울이 언제 찾아왔었나 싶을 만큼 따스한 봄이 들어서게 되는 것처럼, 평생 지속될 것만 같은 지금 이 힘든 시기도 언젠간 흘러가기 마련이고, 언제 힘들었었나 싶을 만큼 행복들이 내게 파도처럼 밀려오는 좋은 날도 곧 있으면 찾아오게 될 테니까요.

행복해지기 위해 명심해야 할 것들

나를 함부로 대하는 사람들한테까지
다정하게 대해주지 말 것.

지금 내 곁에 머물러주는 사람들과의 관계에 충실하고
지금 이 순간에 감사해하며 살아갈 것.

노력했던 것만큼 결과가 따라주지 않더라도
너무 상심하지 말 것.

다른 사람과 나를 비교하며
괜한 자격지심을 가지지 말 것.

나는 나 자체만으로 존중받아 마땅하고
소중한 사람이란 사실을 늘 명심할 것.

나의 잘못된 말과 행동으로
누군가의 가슴에 상처를 남기지 말 것.

지난 날의 상처 때문에
애써 다가오는 인연을 거부하지 말 것.

나 자신의 빛을 끄지 말 것

남들 눈엔 쉬워보일지 모르지만, 나의 눈엔 눈물이 한가득 맺힐 맞큼 온 마음을 다한 것들이 있습니다. 누군가에겐 그것이 사랑일 수도 있고, 누군가에겐 일이 될 수도 있고, 누군가에겐 인간관계가 될 수도 있습니다. 그리고 그런 것들은 인생을 살아가다 보면 점점 더 많아지기 마련입니다. 그러니 쉽게 무너지고 아파하지 않으려면 항상 명심하세요. 다른 이들이 나에 대해 쉽게 판단하고 쉽게 내뱉을 때에도 나만큼은 나 자신을 수고했다며 토닥이고 안아줘야 한다는 것을. 나만큼은 나 자신의 빛을 끄지 말아야 한다는 것을.

나 자신을 먼저 사랑할 것

우리, 타인보다 나 자신을 먼저 사랑하는 연습을 하도록 해요. 남에게 많은 것을 베풀고 살아가는 건 정말 바람직한 삶의 태도겠지만 그렇다고 오로지 남을 위해서 살아가게 되면 그때부턴 더 이상 내 인생이 아니니까요. 소중한 나 자신을 버리면서까지 타인을 위해 살아가지 말아요. 항상 옳은 일을 하려 애쓰지 괜찮아요. 우린 남을 위해 태어난 것이 아니니까, 나 자신을 먼저 사랑해주는 것이 우리 삶의 진정한 목적이자 참된 의미일 테니까요.

내일을 위해 오늘을 희생하진 말자

세상 누구보다 열심히 살아가려고 노력하는 태도는 정말 중요한 것 같다. 열심히 해야지만 나 스스로에게 부끄럽지 않은 내가 될 수 있고, 내가 노력한 만큼 좋은 결과 또한 빨리 따라줄 수 있기 때문이다.

그러나 열심히 살려고 노력하는 태도는 정말 좋고 바람직하지만, '너무' 열심히만 살아가려고 애쓰다 보면 오히려 마이너스의 결과를 불러오게 되기 마련이더라. 너무 남들보다 잘하려고 애를 쓰고, 너무 앞만 보고 달려가느라 주변의 소중한 사람들과의 관계에 소홀해지기도 하고, 인간관계에 너무 상처받지 않으려고 마음을 닫아두다 보면 정작 내가 진짜 몸과 마음이 힘들고 지칠 땐 기댈 수 있는 사람이 아무도 없더라. 어쩌면 너무 열심히만 살아가는 건 나 자신 뿐만 아니라 내 인생에도 치명적인 독이 될 수 있다는 것을 너무 늦게 깨달아버린 것은 아닐까.

'누구보다 열심히'를 너무 지나치게 실천하다 보면 사실 내 몸과 마음의 건강상태와 삶의 질은 세상 누구보다 뒤떨어지게 되버리는 것은 아닐까.

그래서 그동안 너무 애쓰며 살아온
나 자신에게 건넨다.

사랑하는 나 자신아, 참 애썼다. 허나 이젠 그만 애써도 괜찮다. 너는 누구보다 최선을 다했고 누구보다 열심히 달려왔지만 그것은 때로 독이 될 수 있다는 것을 기억해줬으면 좋겠다. 걱정하지 말고 조금 쉬어가도 괜찮다. 내일은 내일의 나에게 맡겨두고 오늘은 조금 쉬어가도록 하자.

나는 네가 내일의 행복을 위해 오늘을 희생하는 미련하고 불쌍한 사람이 되진 않았으면 좋겠다.

꼭 끈기있는 사람은 아니어도 돼요

꼭 끈기 있는 사람이 되려고 너무 애쓸 필요는 없습니다. 항상 사람들은 잘 참을 수 있는 사람을 보고 대단하고 존경스럽다 말하지만 그렇다고 해서 불합리한 상황이나 너무 힘들고 죽을 것만 같은 상황에서마저도 이를 악물고 꾹 참을려고 하는 것은 정말 미련하고 바보같은 짓이라고 말해주고 싶습니다. 꼭 끈기 있는 사람이 되려고 슬픔과 힘듦을 억지로 참아내지 말아요. 꼭 남들한테 인정받는 대단한 사람이 되려고 애쓰지 말아요. 남이 아닌 내 자신이 먼저 나를 인정해주고 토닥여주면 되는 겁니다. 그러니 억지로 참지 말고 부디 행복만 하도록 해요. 슬플 땐 울고, 기쁠 땐 웃을 수 있는 것. 그게 진짜 행복이니까요.

당신은 행복할 자격이 있다

본인이 쉽게 상처받는 사람이라며 자책하기 전에 쉽게 상처주지 않는 사람을 만나세요. 별 거 아닌 일로 서운해하는 사람이라며 자책하기 전에 별거 아닌 일로도 서운하게 만들지 않는 사람을 만나세요. 서로 간에 다툼이 일어났을 땐 매번 나에게서만 문제를 찾으려고 하는 사람 말고 자기 자신을 되돌아보며 반성할 줄 아는 그런 사람을 만나세요. 당신은 반드시 그런 사람을 만나 행복해야만 합니다. 누군가가 이기적인 사람이라고 할지라도, 누군가가 당신을 비난하고 싫어하고 욕할지라도 당신은 반드시 그럴 자격이 있습니다. 평생 행복할 자격 말이에요.

견뎌야 하는 단어들에 대하여

싫어도 애써 책임지고
견뎌내야 하는 단어들이 있습니다.

예를 들면 사랑, 미움, 이별, 이런 것들 말입니다. 아무런 이유조차 없이 누군가에게 미움을 받더라도 그런 것에 큰 불만을 가지고 따지고 들기보단 내색없이 조용히 혼자 견뎌내야 하고, 누군가를 많이 사랑하게 되었을 땐 그만큼의 책임감을 가지고 그 무게를 견뎌내야 하고, 사랑하는 이와 헤어지게 될 때는 가슴 한 편이 쓰라리는 듯한 아픔을 애써 혼자 견뎌내야 합니다.

이렇게 인생을 살아가면서 견뎌내야 할 것들은 무수히 많고, 이런 큰 고난들을 모두 견뎌내기엔 우리의 마음은 한 없이 작고 연약합니다. 그러나 책임감 없이 바로 무너지게 되면 우리의 삶에는 아무런 변화도, 의미도 없어지게 되지요. 그렇기 때문에 많은 이들은 오늘도 혼자, 애써 견뎌냅니다.

그렇게 힘들게 견뎌내는 중인 사람들에게 지금 하고 있는 짓이 미련한 짓이라며, 그만 포기하고 쉬라는 말을 어떻게 꺼내겠습니까.

다만, 나는 당신이 그 무겁고 어려운 것들을 홀로 견뎌내고 있기에 너무 장하다는 말을 해주고 싶습니다. 앞으로의 당신의 인생은 지금 견뎌내고 있는 무수히 많은 단어와 문장들로 인해 더 의미있고 가치있는 삶이 될 것이라고. 당신이 지금껏 견뎌온 모든 노력들이 결국 저마다의 의미가 있고 결코 헛된 것이 아니라고. 홀로 아등바등 거리며 애쓰는 모습이 너무나 멋지고 자랑스럽다고.

나는 당신에게 그렇게 말해주고 싶습니다.

당신의 계절은 분명 찾아올 것이라고

힘든 날 다음에 좋은 날이 찾아올 거란 말이 마음에 와 닿지 않는 가장 큰 이유는, 그 좋은 날이 언제인지 정확히 알 수 없고 마냥 기다려야만 하기 때문입니다. 막상 기대하고 기다리다 보면 좋은 날보단 힘든 일들이 감당할 수 없을 만큼 우르르 몰려오고, 너무 지치고 무기력해진 상태에서 이제 자포자기하게 될 땐 예상치도 못한 좋은 날과 좋은 인연들이 찾아와 날 기쁘게 해주기도 합니다. 이렇게 내 계획과 마음대로 되지 않는 것이 인생이니까 살아가는 데에 너무 애쓰지 말아요. 언제인지 정확히 확신할 순 없지만 당신의 계절은 분명히 찾아오게 될 것이니까요.

분명 어딘가에도

삶이 마냥 외롭고 쓸쓸하다고 느껴질 때면, 지금 이 순간에도 분명히 세상 어딘가엔 나를 걱정하고 사랑해주는 사람이 있다는 사실을 항상 기억하길 바랍니다. 내 호의를 가볍게 여기고 매섭게 돌아서는 차가운 사람들도 참 많지만, 언제나 내 몸과 마음이 아프지 않길 기도해주고, 보이지 않는 곳에서 날 지켜봐주는 든든한 사람들도 있습니다. 힘들고 지칠 땐 이 사실 하나만 떠올리며 열심히 버텨내고, 스스로를 토닥이고 안아주세요. 당신은 당신도 모르는 누군가에게 사랑받고 있는 존재라는 사실을.

지금 이 행복에 집중할 것

내가 이렇게까지 행복해해도 되는 걸까, 싶을 만큼 괜찮은 나날들을 보내게 될 때면, 오히려 불안함과 두려움이 몰려오곤 하죠. 금방 또 다른 불행들이 찾아와선 당장 이 행복을 앗아가진 않을까, 하는 걱정들 때문에 말이에요. 그러나 난 당신에게 너무 불안해하지 말라고, 그저 지금 이 순간을 즐기는 것에 집중하라고 말해주고 싶습니다. 좋은 날 뒤에 나쁜 날은 찾아올 수 밖에 없는 법이고, 매번 걱정과 불안함에 덜덜 떨며 시간을 낭비하기엔 지금 이 순간이 너무 행복하고 소중하잖아요. 그러니 우리, 행복하고 기쁜 날들이 찾아왔을 땐 나중 일에 대한 걱정은 하지 말고 오로지 지금 이 순간에만 집중하기록 해요. 지금 이 행복을 천천히, 아주 느긋하게 음미할 수 있도록 말이에요.

말뿐만 아니라 마음먹은 대로

모두들 인생은 말하는 대로 된다고 하지만, 꼭 말 뿐만이 아니라 내가 맘 먹은 대로 되기도 합니다. 내가 나쁜 마음을 품고 무언가를 하게 되면 그만큼 부메랑처럼 내게 나쁜 결과가 돌아오고, 내가 착한 마음을 품게 되면 그만큼 좋은 일들이 언젠가 내게 다시 찾아오는 법입니다. 그러니 절대 무슨 일이 있어도 좋지 않은 감정을 품고 일이나 사랑, 사람과의 관계에 접근하지 마세요. 그만큼 안 좋은 일들이 내게 부메랑처럼 돌아올 수도 있으니까요.

나 자신을 먼저 돌아볼 것

누군가와의 관계가 끊어지게 되면 항상 모든 잘못을 상대방의 탓으로만 돌리려고 하는 사람들이 있습니다. 그러나 나 자신을 되돌아보지 않고 상대방만 탓하는 습관을 고치지 못한다면, 다른 사람들과의 관계에서도 똑같은 문제로 다투고 멀어지게 될 확률이 굉장히 높다는 걸 항상 기억해야 합니다. 누군가를 탓하기 전에 먼저 나 자신을 되돌아보세요. 내가 상대방을 탓할 수 있을 만큼 그 사람과의 관계에 있어 좋은 사람이었는지 말입니다.

타인의 시선을 자꾸 의식하는 이유

우리가 타인의 시선을 자꾸 의식하게 되는 이유는, 나 자신에 대한 믿음이 부족하기 때문입니다. 내가 잘해낼 수 있을까, 내가 그럴 능력이 되는 사람일까 이런 생각에 자꾸 자신을 믿지 못하기 때문에 자신감도 생겨나질 않는 거에요. 그럴 땐 그냥 이유같은 건 묻거나 따지지도 말고 무조건 자신을 믿으세요. 다들 근자감이라 말하지만 나 자신을 믿는데 무슨 근거가 필요해요. 나를 믿고, 나에 대한 확신을 가지며 흔들림없이 튼튼한 삶을 살아가자고요, 우리.

너무 좌절하거나 슬퍼하진 말 것

어차피 스쳐갈 인연이 떠나갔다고 해서 너무 좌절하거나 슬퍼하진 말았으면 좋겠어. 물론 인간관계라는 게 언젠가 떠나갈 사람들 투성이인 게 당연한 거겠지만, 여전히 한결같이 네 곁에서 네 편이 되어주는 사람들도 있잖아.

누군가에겐 사랑하는 연인일 수도 있고, 둘도 없는 오랜지기 친구일 수도 있고, 함께 피를 나눈 가족일 수도 있어. 도대체 누가 네게 그런 존재인지 내가 알 순 없지만, 어차피 떠나보내야 했을 인연에 아파할 시간에 차라리 지금 내 곁에 있는 사람들한테 잘하는 게 어떨까. 이미 내게 등을 돌려버린 사람에게 매달리며 아파하기보단 아직 내게 등을 돌리지 않는 사람들과의 관계를 지키기 위해 노력하는 게 어떨까.

항상 잊지 말아야 해.

떠나간 그 사람 말고도 우리의 주변엔
지켜야 할 소중한 인연들이 무수히 많다는 것을.

너무 세게 붙잡지 말 것

인간관계에 너무 힘을 주며 살아가지 말아요.

어차피 떠나갈 인연을 놓치지 않으려 꽉 붙잡고 애쓰거나, 다른 사람들의 마음에 드는 사람이 되기 위해 나 자신을 바꾸려고 애쓰거나, 그렇게 억지로 힘을 줘야지만 유지되는 관계라면 차라리 끊어내는 편이 낫다고 말해주고 싶습니다. 결국 우리가 다른 누군가와 관계를 맺는 이유는, 함께할 때 서로가 편안하고 행복해지기 위해서잖아요. 함께할 때 나를 애쓰게 만들고 불안하게 만드는 관계는 놓아주세요. 그리고 조금 힘을 빼도 여전히 내 곁에 있어주는 사람들과 함께하세요.

운다고 달라지는 건 없겠지만

마냥 운다고 해서 달라질 수 있는 건 아무것도 없겠지만, 지금 소리 내어 울지 못하면 당장에라도 무너질 것만 같아서 그래요. 그러니 내가 울고 싶어할 땐 울게 내버려둬요. 그렇게 마음껏 울고 난 것만으로도 충분히 위로가 될 때가 있거든요.

자존감이 부족한 너에게

가끔 나 자신을 바라보면 남들에 비해 매력이 너무 부족한 사람인 것 같아서 자꾸 자존감이 떨어질 때가 있지.

허나 너무 그런 생각은 전혀 틀렸고, 절대 아니라고 말해주고 싶어. 너도 분명 누군가에겐 얼굴만 떠올려도 행복하고 설레이는 따듯한 봄과 같은 존재였을 것이고, 한참 정신없이 무더운 여름처럼 뜨겁고 치열한 사랑의 대상이었을 것이고, 때론 겨울의 크리스마스 선물처럼 내게 오기를 기다려지는 사람이었을 것이고, 살랑살랑 낙엽이 휘날리는 가을처럼 함께 손을 잡고 거리를 걸어가고 싶은 사람이었을 테니까.

너도 분명 누군가에겐 봄이자 사랑의 대상이자 그리움의 대상이자 또 삶의 이유일 테니까.

그러니까 너무 기죽지 말아. 이것 봐,

너 이렇게 매력있고 쓸모가 많은 사람이잖아.

당신은 멋진 사람

상황이 나아졌다고 해서 무조건 기분이 나아지는 건 아니고, 기분이 나아졌다고 해서 무조건 상황도 나아지는 건 아닙니다. 그렇기에 아무리 상황이 좋아지거나 기분이 나아져도 그 사실 자체는 전혀 위로가 되지 않을 수 있습니다.

그러나, 이 사실 하나는 절대 잊지 마세요. 때론 감당할 수 없는 힘든 순간들에 무너질 때도 있고, 내 감정을 주체하지 못해서 미칠 것만 같은 순간들이 닥쳐와도, 절대 그것으로 내 인생이 끝난 것은 아닙니다. 어차피 지금 이 힘든 순간들도 전부 지나가기 마련이에요. 그러니 너무 좌절하지 마세요.

당신의 인생은 충분히 가능성이 있는 의미 있는 삶이고, 당신은 그런 대단한 삶을 살아가는 아주 멋진 사람이란 사실을 절대 잊지 마셨으면 좋겠습니다.

압박감

사람들이 왜 자꾸 걱정을 내려놓지 못하고 불안함을 떨쳐내지 못하는지 알아요? 자기 주변에 지켜내야 할 소중한 것들이 너무 많아서 그래요. 그게 일이든, 사랑이든, 관계이든 어떠한 것이든지 말이에요. 근데, 내가 거기에 계속 신경쓰지 않으면 그것들을 대신 지켜줄 사람이 없으니까. 그래서 더 불안하고 걱정되는 거에요. 내가 소중한 기회를 놓쳐버리진 않을까. 내가 소중한 사람을 지켜내지 못하진 않을까. 내가 소중한 것들을 제대로 지켜내지 못한 채 이대로 무너지게 되는 건 아닐까. 이런 고민들 때문에요. 있잖아요, 걱정과 불안은 말이죠. 내게 소중한 것들이 많아지면 많아질 수록 계속 늘어나게 돼요. 나도 그러고 싶지 않은데, 내가 지켜내야 할 것들이 계속 늘어나다 보면 그것들에 대한 압박감과 불안함은 무시할 수 없을 만큼 크고 무거운 법이거든요.

모두에게 친절할 필요는 없다

굳이 모든 사람에게 친절하고 마음 넓은 사람처럼 보여야 할 필요는 없습니다. 결국 다른 사람에게 친절한 사람이 되는 것도 체력문제나 마찬가지거든요. 예를 들면 누군가가 보내온 문자에 성의있게 답장을 하는 것도, 상대방과 대화할 때 항상 눈을 마주치고 열심히 이야기를 듣는 것도, 결국 체력이 떨어지게 되면 더 이상 지속하기 힘든 노력들이니까요. 매번 타인만 배려하지 말고, 때론 내 입장과 정신건강을 위해 조금은 무례하고 이기적으로 살아갈 필요가 있습니다. 결국 그렇지 못한다면 타인의 눈에만 좋은 사람이지, 내 자신에겐 엄격하고 매정하기만 한 나쁜 사람으로 남을 수도 있으니까요.

감정 쓰레기통

자신의 상황이 힘들고 지친다고 해서, 자신과 가장 가깝게 지내는 소중한 사람들에게 괜히 짜증내거나 화풀이 하지 않으려 노력하세요. 그것 하나만으로도 충분히 됨됨이를 높이 평가받을 사람이 될 수 있습니다. 지키기 쉬워 보이지만 말처럼 쉬운 일이 아니에요. 나도 모르게 감정이 북받쳐서 소중한 가족, 사랑하는 애인, 오랜 지기 친구들을 희생양으로 삼을 때가 참 많으니까. 가깝고 소중한 사람일 수록 곁에 머물러줌에 감사하고 더 소중히 아끼고 조심히 대할 줄 아는 사람이 되세요. 그래야 내 곁에 있는 소중한 것들을 오랫동안 지켜나갈 수 있습니다.

꼭 끝까지 가봐야만 아는 건 아니야

꼭 끝까지 가봐야만 아는 건 아닙니다. 내가 원하는 목적지에 도착하기 위해선 어떻게든 끝까지 가야 하는 건 맞습니다. 허나 내가 지금 걷고 있는 그 길이 맞는지 아닌지는 꼭 끝까지 가야만 알 수 있는 것이 아니에요. 걸어가는 과정 속에서 나 자신을 되돌아보고, 그동안의 성과나 노력, 또는 내가 느낀 행복감을 비교하며 그 속에서 정답을 찾아낼 수 있는 것이죠. 만약 중간에 이건 아니라는 생각이 든다면 억지로 끝까지 갈려고 하지 말고 내려놓고 다른 길을 가면 됩니다. 내려놓는 것도 하나의 선택이니까 결코 틀린 게 아니에요. 당신이 옳다고 믿으면 그건 옳은 길이니까요.

넌 충분히 잘하고 있으니까

그래, 누군가에겐 네가 걸어왔던 그 길이 마냥 쉽고 아무것도 아닌 것처럼 보일 수도 있겠다. 허나 난 안다. 네가 여기까지 오기 위하여 얼마나 많은 걸림돌과 장애물을 가까스로 열심히 이겨냈는지. 그 과정 속에서 얼마나 무릎 팍이 까이고, 다치고, 무너지고, 억지로 일어서고를 지겹도록 반복해야 했는지. 그러니까 세상의 비난에 너무 상심하거나 흔들리지 마라. 애초에 누가 알아주길 바라는 마음으로 시작한 게 아니니까. 두 귀를 막고 두 눈만 열어두고 네 갈 길 만을 갔으면 좋겠다. 너 자신을 믿어. 내가 나를 믿지 못하면 누가 날 믿어주겠어. 걱정하지 말고 앞으로만 나아가라.

너는 충분히 잘하고 있다.

결과보단 과정이 더욱 빛나는 너에게

무수히 많은 사람들이 과정이 아닌 결과에만 그렇게 신경쓰고 집착하는 이유는, 그만큼 결과가 좋아야만 무언가 얻는 것이 있다는 잘못된 편견과 착각 때문입니다. 허나 실패하게 되더라도 얻는 것들은 분명히 있습니다. 만약 실패를 하지 않았다면 평생 몰랐을 내 부족한 면들을 알고 고쳐나갈 수도 있고, 결과로 이어지는 과정 속에서 많은 지식을 배우고 쌓을 수도 있다는 걸 늘 기억해야 합니다. 결과가 두려워서 앞으로 나아가는 것을 망설이는 어리석은 사람이 되지 마세요. 결과도 중요하지만 그 과정을 더 빛낼 수 있는 사람이 되세요. 그게 진정 자신감과 좋은 결과를 동시에 얻을 수 있는 현명한 방법이니까요.

너는 모르지

왜 자꾸 불안해해.
왜 자꾸 걱정만 해.
왜 자꾸 남들과 널 비교해.

너는 모르지. 아니, 너만 모르지.

지금 네가 얼마나 잘해내고 있는지.
지금 네가 얼마나 아름다운 꽃인지.

다음에는, 웃으며 만나요

원래 참 그렇잖아요.

인생을 살아가다 보면 모든 일이 잘 풀릴 순 없는 법이잖아요. 때론 좋은 날이 아닌 힘든 나날의 연속일 수도 있는 거고, 그 과정 속에서 깨지고 무너지고 실망하는 아픈 순간들도 참 많을 수밖에 없는 법이잖아요.

그래도 난 당신이 더 이상 아프지 말고 언제나 행복만 했으면 좋겠습니다. 당신을 힘들게 하고 울게 만드는 것들은 미련 없이 흘려보내고, 오직 좋은 날과 행복한 순간들만 가득한 예쁜 인생을 살았으면 좋겠습니다.

오늘 하루도 그 누구보다 열심히 달려가느라, 있는 힘껏 넘어지느라, 많이 실망하느라, 그렇게 남몰래 아파하느라 참 수고가 많았어요.

오늘 당신의 머리 맡엔 천사가 찾아와서 행복한 꿈만 가득 선물해주길 바랄게요. 사랑하는 사람아, 오늘 밤 잘 자요. 그대처럼 예쁜 꿈만 꾸고요.

우리, 다음엔 웃는 얼굴로 다시 만나요.

저자 소개

이름: **장예은** (실명: 이지수)

삶, 사랑, 인간관계로 인해 상처받은
사람들을 다독여줄 수 있는 글을 쓰려고
항상 노력하며 살아갑니다.
누구나 힘든 시기는 반드시 존재하고
그것처럼 각자만의 계절은 분명
찾아오게 되리라는 것을 믿고,
희망을 품고 하루하루를 살아갑니다.

감사합니다.